La mémoire
n'en fait qu'à sa tête

Bernard Pivot

de l'académie Goncourt

La mémoire n'en fait qu'à sa tête

Albin Michel

à Raymond Lévy
homme et ami mémorable

Ricochets

On s'arrête tout à coup de lire. Sans pour autant lever les yeux. Ils restent sur le livre et remontent les lignes, reprenant une phrase, un paragraphe, une page. Ce peut être pour la beauté, pour l'intelligence, pour l'humour, pour l'originalité de ce que l'auteur a écrit et qu'on a envie de relire sans attendre.

Ce peut être aussi parce que le passage nous a paru obscur et qu'on aimerait comprendre avant d'aller plus loin.

Ce peut être encore parce que ces mots, tout à coup, interpellent notre mémoire, la titillent ou se cognent contre elle.

N'avons-nous pas vécu une scène proche de celle que l'écrivain vient de raconter ? N'avons-nous pas connu un personnage fort ressemblant à celui dont on nous décrit les faits et gestes ? Et quand ce personnage, c'est nous-même mêlé aux souvenirs d'un autre, comment ne pas juger utile ou amusant de préciser ou de commenter ?

Cette attitude, cette manie, cette obsession, cette fantaisie, n'est-ce pas aussi la nôtre ? Cette idée n'est-elle pas installée sous notre chapeau depuis longtemps ? À moins que nous ne l'ayons toujours combattue. Ce mot, ce simple mot, ne nous évoque-t-il pas notre enfance, un livre, une querelle, des vacances, un voyage, la mort, des plaisirs soudain revenus sur nos lèvres ou courant sur la peau…

Bref, plus je vieillis, plus mes lectures sont ponctuées d'arrêts commandés par ma mémoire. Elle n'est pourtant pas la partie la plus vaillante de ma petite personne. Imprévisible et capricieuse, elle aime bien cependant déclencher sur moi des ricochets semblables à ceux obtenus par ces petites pierres plates que je faisais rebondir sur la surface étale des étangs et des rivières de mes jeunes années.

Ces ricochets, profession oblige, sont le plus souvent littéraires. Ou, plutôt, relevant de la vie littéraire. Les mains de la plupart des écrivains évoqués ont lâché le stylo. De mes ricochets ils ne feront pas de ricochets. Ç'aurait été plaisant et m'aurait rappelé les concours que nous faisions au bord de l'eau, comptant le nombre de fois où la pierre rebondissait jusqu'à ce que, à bout de force, elle disparût.

La mémoire n'en fait qu'à sa tête. C'est pourquoi elle interrompt aussi mes lectures pour des bagatelles, des sottises, des frivolités, des riens qui sont de nos vies des signes de ponctuation et d'adieu.

La gifle

De mon père je n'ai reçu de gifle qu'une seule fois. Comme Jean d'Ormesson. Il avait six ans. Son père était ministre plénipotentiaire à Munich. « Je suis installé au balcon de la légation et je regarde défiler derrière un drapeau rouge avec une drôle de croix noire dans un cercle d'argent une troupe de jeunes gens qui chantent – très bien – sous les applaudissements de la foule. Entraîné par l'allégresse générale, j'applaudis à mon tour. Et, surgi soudain par surprise derrière moi, je reçois de mon père, avec beaucoup de douceur, la seule gifle qu'il m'ait jamais donnée », *Je dirai malgré tout que cette vie fut belle.*

Moi, j'avais une douzaine d'années et la gifle ne fut pas tendre. Les colères de mon père se remarquaient d'autant plus qu'elles étaient très rares. Ce jour-là, après le déjeuner, chez des amis, à la campagne, il était exceptionnellement furibard. D'une magnifique reprise de volée, j'avais expédié le ballon dans une fenêtre de la cour de la ferme. Les vitres avaient explosé. Mon père aussi. Dix minutes auparavant, il m'avait interdit de jouer au football avec un de mes camarades, craignant pour les fenêtres et pressentant que, si un pied avait la maladresse d'être fort adroit, ce serait le mien. Bien vu.

Ma gifle est la sanction d'une désobéissance réfléchie. Celle de Jean d'Ormesson punit une réaction spontanée. Autant ma gifle est d'une grande banalité, autant celle du petit d'Ormesson est insolite. On peut même la qualifier d'historique, reçue sur le balcon d'une légation, devant un défilé de jeunes hitlériens. Le fils du ministre plénipotentiaire n'a pas fait politiquement le bon choix, mais il est déjà, à l'âge de six ans, un témoin de l'histoire du XXe siècle. Le courroux paternel est une leçon républicaine et un visa pour le chroniqueur des temps à venir.

Par comparaison, ma gifle est beaucoup plus modeste et surtout moins signifiante. Elle ne me détournera pas de ma passion pour le football. Elle me retiendra à l'avenir de taper dans un ballon à proximité des fenêtres, des baies et de ces balcons où de petits privilégiés de naissance préparent leur avenir.

De l'exactitude

Le prince de Ligne : « J'ai fait attendre des empereurs et des impératrices, mais jamais un soldat. » Simon Leys qui fait cette citation ajoute que le maréchal autrichien et écrivain de langue française « traitait ses sujets et subordonnés avec une courtoisie qui venait du cœur », *Le Studio de l'inutilité*.

Rendez-vous médicaux exceptés, l'antichambre ou le salon d'attente en dit long sur la personne qui occupe le bureau d'à côté. Quand le visiteur doit lanterner au-delà de quelques minutes, c'est le plus souvent un homme ou une femme qui a de lui ou d'elle-même une opinion très haute, qui tient l'autre pour son obligé ou son inférieur et qui entend le lui rappeler sur le cadran de sa montre. Ne pas respecter l'heure d'un rendez-vous, c'est ne pas respecter son semblable. Il n'y a pas grand-chose à attendre de quelqu'un qui nous fait sérieusement attendre.

Certes, un imprévu peut survenir qui repoussera l'entretien. Mais, le plus souvent, le responsable a pour nom désinvolture, mal chronique du retard ou cette volonté d'humilier un peu le solliciteur. Le prince de Ligne considérait ses soldats comme ses égaux. Il le leur prouvait en les recevant à l'heure dite. Ses brillants états de service lui ayant bâti une réputation de dimension européenne et son orgueil étant à la mesure, il pouvait se permettre de faire attendre les têtes couronnées et ainsi leur montrer qu'il n'était ni leur inférieur, ni leur obligé.

Mais n'est pas le prince de Ligne qui veut.

L'échelle des retards est généralement dépendante de la hiérarchie sociale.

Journaliste, j'ai toujours eu un préjugé favorable pour qui m'accordait une interview à l'heure convenue. Je jugeais d'emblée cette personne honnête et sympathique. Réflexe stupide parce que Hitler et Staline, ces deux monstres, étaient peut-être l'exactitude même.

Je me disais qu'après un quart d'heure d'attente je devrais avoir le culot et le courage de lever le camp. Je ne le faisais jamais. Je m'imaginais mal rentrant au journal et expliquant au rédacteur en chef que je n'avais pas l'entretien espéré parce que le ministre, l'écrivain ou le metteur en scène m'avait fait poireauter trop longtemps. « Mais pour qui vous prenez-vous ? » m'aurait-il dit avec raison.

En 1988, *Paris Match* m'avait demandé d'interviewer les trois principaux candidats à l'élection présidentielle. Jacques Chirac m'avait reçu à l'heure, Raymond Barre avec cinq minutes de retard, François Mitterrand une demi-heure. Cela en dit cependant moins sur leur personnalité que le texte que je leur avais fait tenir pour relecture. Chirac et Barre me l'avaient retourné dans les délais, le premier sans avoir changé un mot, le second avec deux ou trois rectifications. Quant à Mitterrand il avait failli mettre en retard l'impression du numéro de *Match*, ayant quasiment tout récrit de sa main.

En 1995, le président me fit lanterner dans un petit salon de l'Élysée encore une demi-heure. Était-ce son tarif habituel ? J'allais être reçu pour préparer un entretien culturel en tête à tête qu'il avait accepté de m'accorder. Il allait constituer un *Bouillon de culture* (14 avril 1995) d'autant plus exceptionnel que le cancer empêcherait désormais François Mitterrand de renouveler cet exercice dans lequel il excellait. Conscient de ma chance, j'aurais volontiers attendu deux, trois, quatre, dix heures sans moufter ! Au fond, notre patience est proportionnelle à ce que nous en espérons.

Vingt-huit ans d'émissions hebdomadaires *en direct* m'auraient appris la ponctualité si j'avais eu un certain penchant à m'y dérober. Mais, à force de veiller à ne jamais être en retard avec les autres, quels qu'ils soient, on en vient à exiger d'être à l'heure avec soi-même. Hélas ! je ne suis pas toujours exact à mes propres rendez-vous. Il m'arrive même de me poser des lapins.

Pour l'accent circonflexe

Alexandre Vialatte : « Quand on est amoureux de la langue, on l'aime avec ses difficultés. On l'aime telle quelle, comme sa grand-mère. Avec ses rides et ses verrues. Avec son bonnet tuyauté qui donne tant de mal à la repasseuse », *Chroniques de La Montagne*.

Une commission pour la rectification de l'orthographe – et non pour la réforme – avait été créée par le gouvernement de Michel Rocard en 1990. J'en étais. De pertinentes propositions avaient été faites pour mettre de l'ordre dans le pluriel des mots composés, le redoublement des consonnes, etc. Les travaux étaient sur leur fin quand un révisionniste pur et dur demanda la suppression de l'accent circonflexe sur le i et le u. Comme ça, à brûle-pourpoint. Incongrûment. Le traître ! C'était la nuit du 4 août des accents circonflexes.

Que croyez-vous qu'il advînt ? Le i et le u se retrouvant sans chapeau, des écrivains de toute plume et de tout poil, de gauche et de droite, protestèrent contre ce dommage causé à l'esthétique du français. La polémique enfla. Ce sont toutes les rectifications qui passèrent à la trappe.

Et voilà que la polémique a rebondi, vingt-six ans après, avec la décision du ministère de l'Éducation nationale d'introduire la nouvelle orthographe dans les manuels scolaires de la rentrée 2016. Quelque 2 400 mots ont mué sous le regard indifférent des écoliers et des collégiens. Les plus attentifs ont été surpris que des mots ne s'écrivent pas de la même façon dans leurs magazines, bandes dessinées, romans que dans leurs livres de classe. Ils ont découvert l'orthographe à la carte. Comme toujours, ce sont les élèves les plus doués qui s'en accommoderont le mieux, les autres considérant que l'orthographe n'est décidément pas une matière sérieuse puisqu'elle peut varier d'un livre à un autre, alors que les maths sont toujours égales à elles-mêmes.

La grammaire et la syntaxe ont meilleure réputation que l'orthographe. Elles ont une dimension intellectuelle, elles relèvent d'un jeu savant tout en étant animées par une forme de logique, alors que l'orthographe paraît à la fois bébête et inutilement compliquée. « L'orthographe est le cricket des Français (…). Le cricket et l'orthographe ont en commun d'être incompréhensibles aux étrangers, sans parler des indigènes », Alain Schifres. La grammaire est en partie responsable du chinois de l'orthographe française, mais, à elle, on n'en veut pas, elle garde son prestige de première de la classe.

Reste qu'il y a de la poésie dans l'orthographe. Les grosses têtes de l'Éducation nationale y sont à l'évidence insensibles. Par exemple, j'ai toujours été émerveillé par le mot libellule, qui désigne un bel et fragile insecte au vol saccadé de ses quatre ailes, son nom comptant lui aussi quatre l. Symbiose parfaite de la biologie et de l'orthographe.

L'arrogance ne craint pas de s'afficher avec ses deux r, un r de mépris, un r de connerie.

Faute esthétique que de vouloir retirer son trait d'union au tire-bouchon. Tirebouchon devient un mot banal, alors qu'avec son trait d'union, représentation de l'hélice qui s'enfonce dans le liège et le goulot, tire-bouchon visualise bien l'instrument.

Des douze mois de l'année seul août porte un accent circonflexe. Judicieux chapeau pour se préserver du soleil. Pourquoi l'ôter ?

Plus on supprimera d'accents circonflexes, plus on retirera de grâce zéphyrienne à notre langue. Plus on supprimera de traits d'union, plus on la rendra compacte et conventionnelle.

Les accents, les trémas, les apostrophes, les cédilles, les traits d'union sont au français ce que sont à la mode les rubans, les boutons, les zips, les ceintures, les bracelets, les colliers, les broches. Ce ne sont que des accessoires, des pièces additionnelles, mais à la beauté de l'ensemble ils ajoutent des variantes nécessaires et des touches de fantaisie à quoi l'on reconnaît une langue ou une collection.

Considérons le célèbre vers du *Cid* :

« *Ô rage ! Ô désespoir ! Ô vieillesse ennemie !* »

À la lecture, qui ne perçoit que les accents circonflexes sur les trois ô amplifient la détresse et l'emphase de Don Diègue ?

Quand le comédien prononce l'alexandrin, on croit voir voleter trois oiseaux de mauvais augure au-dessus de la tête du comte, « blanchie dans les travaux guerriers ».

Le o, le a et le e, trois voyelles fortes, ont découragé les ardeurs bûcheronnes des réformateurs. Plus fragiles, le i et le u ont subi leurs cognées. Des accents circonflexes ils ont fait du petit bois. Avec des exceptions qu'on peut appeler aussi rescapés. Il fallait garder sûr, le jeûne, le dû, pour les distinguer de leurs homonymes. Et, pour des nuances de conjugaison, maintenir croître, qu'il fît, qu'il fût, etc. Le chapeau a la tête dure.

N'est-ce pas une grande tradition française que de créer des lois et des règles qui ne vont pas sans exceptions, dérogations, dispenses et niches fiscales ou grammaticales ?

Plutôt que de supprimer des accents circonflexes, je suis partisan, au contraire, d'en ajouter. À condition qu'ils apportent du sens, en particulier de l'humour. Ainsi, bien placé au sommet du faîte, le chapeau devrait couronner aussi la cîme, la collîne, le bâllon, le pîc, la montâgne. Et s'implanter également au-dessus des Âlpes, du mont Âthos, de l'Âtlas et de l'Ânnâpurnâ.

Ne touchons jamais au fumet qui monte du ô du rôti, du û du ragoût et des â des pâtés et pâtisseries. En bonne logique, un panache devrait s'élever au-dessus du fûmet comme il s'échappe de l'arôme. Par une bizarrerie dont la langue française a le secret, aromate, aromatique, aromatiser s'écrivent sans accent circonflexe. Eh bien, rectifions : alignons-les sur l'arôme, unissons leurs odeurs, mot qui gagnerait au nez et à l'œil à s'écrire ôdeur.

Enfin, pour l'éducation sentimentale des jeunes gens, ne devrait-on pas mettre un accent circonflexe sur le a du mot âmour ? Ainsi leur serait-il judicieusement enseigné que, dans un premier temps, l'âmour monte, puis atteint un sommet, avant de fatalement redescendre.

Babette chez Drouant

Non sans un humour un peu masochiste, elle se flattait d'être la femme la plus maigre du monde. Elle l'était. La peau sur les os, desséchée, parcheminée, Karen Blixen ressemblait à Nosferatu, le vampire de Murnau. C'est une comparaison que, par galanterie, par respect pour la romancière danoise, je n'écrivis pas dans le récit de notre rencontre. D'autant que si son physique choquait au premier regard, son charme opérait sans tarder. La qualité de sa conversation – en français –, la vivacité de ses reparties, le timbre de sa voix eurent tôt fait de m'entortiller. Dans mon article je choisirai de la comparer au Voltaire des dernières années, le visage tout en arêtes, l'ironie sèche et anguleuse. Plus flatteur que Nosferatu, n'est-ce pas ? Ou que la momie de Ramsès II, de qui Roger Grenier la rapprocha (*Paris ma grand'ville*).

C'était en juillet 1961, un an avant sa mort. Je l'avais invitée chez Drouant. L'auteur du *Festin de Babette* ne pouvait qu'être flattée de s'asseoir à l'une des bonnes tables de Paris. Elle n'ignorait pas que c'était dans ce restaurant que le prix Goncourt était décerné chaque année, comme elle savait que son nom était cité à Stockholm pour le prix Nobel de littérature. Drouant avait donc tout pour lui plaire. Mais quand je vis entrer dans le restaurant cet insecte fragile, soutenu par sa secrétaire, je compris mon erreur. La baronne Blixen n'avait pas la santé gourmande de Babette.

À cette époque, nous ignorions que son mari et cousin, le baron Bror von Blixen-Finecke, avait glissé la syphilis parmi ses cadeaux de noces. La maladie ravageait son corps depuis un demi-siècle. On avait dû lui enlever une partie de son estomac rongé d'ulcères. Elle ne se nourrissait plus que d'asperges, de jus de fruits, d'ampoules de gelée royale et de biscuits secs. Dans cette déshérence de la nourriture, comment avait-elle pu écrire *Le Festin de Babette*, ce chef-d'œuvre de la littérature gastronomique ?

La secrétaire et moi avons pris le menu, Karen Blixen se limitant à un artichaut et à un verre de vin blanc. Je notais ses paroles tout en mangeant. De ses yeux sombres, malicieux, elle observait le chassé-croisé dans ma main droite de la fourchette et du stylo. « Vous mangez trop vite, me dit-elle. Prenez le temps d'apprécier. Ne croyez pas que je souffre de ne pas pouvoir partager votre repas. Un jeune homme qui a faim est un beau spectacle. »

Combien de cigarettes a-t-elle fumées pendant deux heures ? Dans mon article, j'écrivais : « Elle tient sa cigarette du bout des doigts, la fume du bout des lèvres, et lance ses mots comme un oiseau ses cris, du bout du bec. » Elle a goûté quelques cerises. Et, sans rancune pour le café qui, autrefois, en Afrique, l'avait ruinée (*La Ferme africaine*), elle en a dégusté une tasse.

J'ai revécu ce déjeuner avec Karen Blixen grâce au livre de Dominique de Saint Pern, *Baronne Blixen*. Cinquante ans après, je mesure l'étendue de mon ignorance d'alors. Le journaliste n'est cependant pas tenu de tout connaître de la vie de l'écrivain qu'il interviewe. L'essentiel est dans l'œuvre. De sa lecture j'avais compris qu'elle tenait plus à l'amitié des hommes qu'à leur amour, compliqué, fugitif, à contretemps. Elle me l'a confirmé : «Je crois, entre nous, que j'avais un talent pour l'amitié. Je ne peux pas me passer de mes amis. Surtout de mes amis hommes. Moi, j'aime beaucoup les hommes (il ne faut pas le dire). Je trouve que l'homme est une créature admirable. Pour moi, le rôle de l'homme, c'est de faire ; le rôle de la femme, c'est d'être. » Sauf qu'au Kenya, c'était elle qui dirigeait la plantation, et non son volage et intermittent baron.

Dominique de Saint Pern raconte que, pour traiter les ravages de la syphilis, Karen Blixen avalait à chaque repas quelques gouttes d'arsenic délayées dans un verre d'eau. Un jour, le boy ayant oublié l'eau, elle avait bu de l'arsenic cul sec. Convaincue de mourir, elle se rappela soudain que, dans *La Reine Margot*, Alexandre Dumas faisait d'un mélange de lait et de blanc d'œuf un contrepoison de l'arsenic. La recette s'étant révélée efficace, elle tenait pour certain que la littérature et Alexandre Dumas lui avaient sauvé la vie.

Lettres d'amour

Vladimir Nabokov : « Heureux le romancier qui parvient à conserver une lettre d'amour réelle, reçue dans sa jeunesse, à l'intérieur d'un ouvrage d'imagination, enfouie là-dedans comme une balle intacte dans la chair molle, et bien à l'abri, parmi des vies d'emprunt », *Autres rivages*.

J'ai moins reçu de lettres d'amour que je n'en ai envoyé. À mon souvenir, c'étaient plus des billets, des petits mots que des lettres. Je les rangeais dans une anthologie de la poésie. Quel romancier m'aurait paru digne de mêler ses petites histoires à la mienne ? Seuls les poètes avaient assez de sensibilité pour accueillir et apprécier les brefs mais tendres épanchements dont j'étais quelquefois l'objet. Ce n'était pas les magnifiques lettres de Tamara à Vladimir. Nabokov y répondait par des poèmes qu'il eut l'imprudence de faire éditer, et il ne se consolait pas de ce qu'il en restât un exemplaire à la Bibliothèque de Moscou.

J'ai aussi commis quelques poèmes de jeunesse et d'amour. Ils offensaient gravement Alfred de Musset. Ils disparurent avant qu'il eût le temps de protester. Les déménagements furent fatals au volume de l'anthologie poétique et à ses minuscules trésors.

L'ouragan des Soviets ayant chassé Nabokov de Saint-Pétersbourg et l'ayant séparé de Tamara, il n'a pas su non plus conserver ses lettres d'amour « à l'intérieur d'un ouvrage d'imagination », ou ailleurs.

À une jeune Lyonnaise de mon quartier dont j'étais timidement amoureux, j'avais fait passer un exemplaire de *La Chartreuse de Parme*. J'y avais intercalé une feuille de papier sur laquelle j'avais écrit à peu près ceci : « Heureux les beaux yeux qui liront ce livre ! Tous les Fabrice ont dans le regard une lumière inextinguible. » J'avais découvert quelques jours plus tôt l'adjectif « inextinguible » et j'avais cru malin, pour faire le savant, de le placer dans cette tortueuse déclaration d'amour. Comme si un seul mot pouvait séduire une femme ! Même des lettres enflammées, écrites d'une main talentueuse, ne parviennent pas à ouvrir un cœur cadenassé. Même le plus beau des livres sera sans effet. Voyez Stendhal, justement, que Métilde Dembowski repoussa avec encore plus de cruauté après sa lecture de *De l'amour* qu'avant.

Croire qu'une lettre joliment tournée touchera le cœur de la cible, c'est au fond croire à la littérature. C'est la doter de pouvoirs rationnels ou magiques. C'est être convaincu qu'elle est capable de changer le lecteur.

Ainsi des 1 218 lettres écrites par François Mitterrand à Anne Pingeot (*Lettres à Anne*) de 1962 à 1995. Elle a dix-neuf ans, lui quarante-six. Il est marié, il a deux fils, il ne divorcera jamais. Il a été onze fois ministre sous la

IVe République. Il a été député, puis sénateur. Il ambitionne de devenir le rival de De Gaulle sous la Ve République. De tous les hommes politiques il est l'un des plus ambitieux, des plus occupés, des plus sollicités, des moins disponibles. Il a vingt-sept ans de plus que la jeune fille dont il s'est épris et il n'a et n'aura jamais beaucoup de temps à lui consacrer. Comment la séduire ? Comment, surtout, la retenir ? Comment d'elle se faire admirer et aimer, jamais dans la lumière, toujours dans l'ombre ? Comment, de loin, la rendre heureuse et fière de leur couple caché, très intermittent ? Par les lettres – nombreuses, longues, ferventes, soignées, brûlantes – qu'il lui écrira sans jamais se lasser et qu'elle lira en se disant et répétant que grande est sa chance de susciter la passion épistolaire d'un amant aussi célèbre et talentueux.

Autrement dit, dès le début de leur liaison, François Mitterrand a compris que sa seule arme pour être aimé durablement d'Anne Pingeot, c'était la littérature.

Comme pour illustrer cet engagement, il a accompagné sa première lettre de l'exemplaire du *Socrate* qu'il possédait. Puis, il lui a fait tenir un exemplaire des *Justes* de Camus. Enfin, c'est dans une librairie de Saint-Germain-des-Prés qu'il lui a donné leur premier rendez-vous parisien.

Ma correspondance amoureuse n'a pas été aussi efficace que celle de Mitterrand, oh non ! Je me souviens d'une lettre écrite à une cousine lointaine – lointaine par les liens de famille et par la géographie. Cette lettre était si belle, si éloquente, et comme gonflée de ma respiration retenue, puis relâchée avec volupté, que je n'ai pas douté un seul instant de son heureux résultat. La méchante cousine ne m'a dit ni oui ni non. Cela fait soixante et un ans que j'attends sa réponse. Ce doit être non, probablement.

Ce n'est pas pour autant que j'ai perdu confiance dans la littérature. Car si les mots n'ont pas eu les effets que je pouvais en attendre, ils m'ont donné bien du plaisir à les assembler. J'avais soigné ma lettre comme jamais, biffant, reprenant, coupant, essayant deux ou trois arguments, n'en retenant qu'un seul, lançant deux ou trois promesses, en ajoutant une autre, signant quelque chose à la fois de ferme et de tendre, de grave et de joyeux. J'étais fier de ce que j'avais glissé dans l'enveloppe. Je me rappelle aujourd'hui avec plus de netteté ma jouissance d'avoir écrit cette lettre d'amour que ma déception de n'en avoir eu aucun retour.

À l'écoute du silence

Philippe Sollers : « Je revois Georges Bataille, à la fin de sa vie, entrer et s'asseoir très calmement, en fin d'après-midi, dans le petit bureau d'une jeune revue d'avant-garde. Il se taisait beaucoup, et j'écoutais son silence. Il avait l'air heureux d'être là », *Mouvement*.

La revue d'avant-garde s'intitulait *Tel Quel*. C'était une ruche bourdonnante de jeunes écrivains pressés de produire leur miel. Parmi les plus bavards Jean-Edern Hallier et, un peu plus tard, Jean Ricardou. J'imagine bien Georges Bataille, attentif, fasciné par leurs conversations vigoureuses, leurs anathèmes, leurs emballements, les assauts d'érudition auxquels ils se livrent. Georges Bataille n'a aucune envie de les épater ou de les instruire. Il se contente de les écouter, peut-être un peu envieux de leur jeunesse, sûrement admiratif de la manière avec laquelle ils empoignent la littérature, certains de lui faire de beaux enfants ou d'insolents bâtards.

Plus d'un demi-siècle après, le silence de Georges Bataille est toujours impressionnant. Et m'impressionne aussi que le jeune Sollers ait écouté son silence. Sans mot dire, ils se disaient beaucoup de choses.

Le problème avec les vieux, c'est qu'ils n'écoutent plus. Soit parce que leur ouïe est un peu défaillante, soit, surtout, parce qu'ils n'ont plus envie d'apprendre. À la longue, leur curiosité s'est tarie. Ils en ont tellement vu et entendu qu'ils ne font plus l'effort de voir et d'entendre. C'est comme si leur tête était pleine à ras bord. Plus de place. Plus de place pour ce qu'ils pourraient retenir des conversations des jeunes gens. La distance est trop grande, la tâche trop difficile. Pour quel intérêt ? Les vieux veulent bien se dépayser, en groupes, entre eux, à Vienne ou à Bangkok, mais pas individuellement chez les jeunes du club, du quartier, de la cellule ou de la paroisse. Si c'est pour répondre à leurs questions, les faire profiter de leur expérience, leur apporter un témoignage, oui, pourquoi pas ? Mais si c'est juste pour les écouter ? En silence ?

Inversement, il est peu probable que les jeunes soient ravis de la présence d'un vieux à leurs débats, à l'exposition de leur mélancolie ou de leurs désirs de conquêtes. Ils se sentiront d'autant plus mal à l'aise que les cheveux blancs resteront silencieux. Est-ce un espion ? Un juge ? Un censeur ? Un ironiste taiseux ? Pèse sur eux son regard, même si c'est celui d'un familier. Seuls les plus intelligents sauront écouter son silence et y percevoir une légère et affectueuse disponibilité.

À la télévision comme à la radio, le silence est honni, pourchassé, compressé, réduit à rien. On préfère le chevauchement des voix au silence. L'oreille ne doit jamais rester dans l'attente d'un son. Elle est en permanence occupée. Dues à une technique défaillante, les ruptures de son exaspèrent l'auditeur et le téléspectateur. Il est soudain en manque. Il cherche fébrilement à renouer avec la musique ou la parole. Il ressent le silence comme une agression, au moins comme une gêne insupportable.

Pourtant les silences de Marguerite Duras à *Apostrophes* étaient sublimes. Ils donnaient du suspens ou du poids à ce qu'elle allait dire. Ces deux secondes de réflexion entre le dernier mot de ma question et le premier mot de sa réponse étaient en somme très éloquentes. Au début de l'entretien, elles m'avaient déconcerté. Puis, j'ai compris que, en dépit de ma hantise du vide, je ne devais pas brusquer mon invitée, mais la laisser maîtresse de son temps. Quel spectacle d'ailleurs que de l'observer, la tête bien posée au-dessus de son col roulé, en train de trier silencieusement les idées et les mots !

Je me rappelle m'être dit, après la leçon de silence de Marguerite Duras, que je devrais en introduire un peu dans mes questions pour qu'elles paraissent plus réfléchies. Me donner ainsi une image plus posée. Tu parles ! Le naturel est revenu au galop et m'a emporté dans le mouvement rapide des conversations du tac au tac.

Invité à *La Grande Librairie* en même temps qu'Alain Corbin pour son livre *Histoire du silence*, il m'est venu une idée que je n'ai malheureusement pas eue pendant mes vingt-huit années d'émissions en direct : respecter une minute de silence sur le plateau. Graves ou burlesques, les raisons ne manquent pas. Ce long silence volontaire serait entré dans l'histoire de la télévision. Se taire pendant quelques instants, lors d'une conversation sur la philosophie du silence, était comme un travail pratique. Comme le silence, une occasion en or. J'en ai fait la proposition sous le regard amusé de François Busnel, mais Alain Corbin a vivement repris la parole, refusant d'ajouter une note silencieuse à son livre.

Le principe de Peter

« Dans une hiérarchie, tout employé a tendance à s'élever jusqu'à son niveau d'incompétence. »

Tel est le principe de Peter beaucoup plus connu que l'essai qui lui a donné naissance : *Le Principe de Peter*, de Laurence J. Peter et Raymond Hull. Il a été considéré à juste titre comme un livre d'humour, ce qui lui a retiré de son sérieux et de sa clairvoyance alors que, sous la fantaisie, il énonce et dénonce l'une des raisons « pourquoi tout va toujours de travers ».

Nous reconnaissons bien volontiers que le principe de Peter souffre d'exceptions. Certains employés, faute d'ambition ou d'habileté dans la grimpette, restent toute leur vie à leur petit niveau de compétence. Mais, surtout dans la fonction publique et la politique, sont nombreux ceux qui ont réussi, à force d'attitudes cauteleuses envers leurs supérieurs incompétents, à se hisser jusqu'à leur niveau d'incompétence. Humour ou pas, il y a du vrai. Et c'est bien pourquoi le principe de Peter devrait être aussi célèbre que le principe de précaution, de réalité ou d'Archimède.

En 1970, quand j'ai lu le livre, je ne me suis pas contenté d'écrire un article enthousiaste, j'ai intégré le principe de Peter dans ma petite tête. Quels que soient les regrets, ne jamais m'élever jusqu'à un poste où, aux yeux des autres, pire, aux miens, flagrante serait mon incompétence. Question d'honnêteté, question d'honneur. À trente-cinq ans, la vie me proposerait probablement des responsabilités que j'accepterais ou non en fonction de divers paramètres (plaisir, temps, argent, risques, etc.), Peter et son principe étant aussi partie prenante. Je n'irais pas briguer un poste ou une fonction au-dessus ou à côté de mes capacités.

Trois ans après que j'eus fait connaissance de Peter, Jacqueline Baudrier, patronne de la première chaîne de télévision, me demanda d'y animer une émission littéraire. Peter me dit qu'il était impossible de savoir si je serais cap ou pas. Il fallait essayer. J'ai essayé. Dès le lendemain de la première émission, Jacqueline Baudrier et Peter m'ont rassuré : devant les caméras, je tenais ma place.

Quand Pierre Desgraupes m'a proposé le journal de 20 heures en alternance avec Christine Ockrent, Peter m'a fait remarquer que je n'avais pas le bagage politique nécessaire à l'emploi et qu'au lieu d'y montrer de l'autorité, ma fragilité serait patente et récurrente. J'ai donc refusé, la principale raison étant cependant que je jouissais de plus de liberté dans l'animation d'une émission littéraire que dans la lecture d'un prompteur sous l'œil irascible de la classe politique.

Peter ne s'opposa pas à ma participation à la création du

magazine *Lire* parce que son initiateur Jean-Louis Servan-Schreiber avait toutes les qualités de manageur que je n'aurais jamais. Nous étions complémentaires.

En revanche, en vacances en Italie, quand j'appris par la presse que mon nom était cité au ministère de la Culture pour la direction d'une chaîne de la télévision publique, Peter me conseilla d'appeler tout de suite qui de droit pour que cette idée farfelue soit sur-le-champ abandonnée. On imagine bien le raisonnement : puisque j'avais réussi à animer et à rendre populaire une émission culturelle, j'étais capable de diriger avec succès une chaîne. Sauf que, j'en étais bien d'accord avec Peter, les qualités requises n'étaient pas les mêmes, que je ne les possédais pas et que, en plus, le pouvoir, ses honneurs et ses emmerdes, ne m'attirait pas. Accepter cette charge aurait été une application parfaite du principe de Peter et de son second attendu : « Avec le temps, tout poste sera occupé par un employé incapable d'en assumer la responsabilité. »

Mon vieux conseiller m'accompagne toujours. Chaque fois qu'on me demande de participer à un débat ou de répondre à des questions sur un sujet périphérique à mes domaines, je me tourne vers Peter. Il est très rare que je ne suive pas ses recommandations. Mes confrères sont toujours étonnés que je me déclare incompétent ou pas assez instruit en telle matière pour ne pas risquer de ne débiter que de prudentes banalités. La notoriété n'est pas un brevet d'omniscience. Il faut se méfier des tables rondes. Elles sont souvent carrées, les angles à vif, avec des tiroirs où les causeurs se font pincer les doigts.

Quand, par miracle et par chance, j'ai été engagé comme journaliste stagiaire au *Figaro littéraire*, mes lectures étaient alors tellement lacunaires que, si Peter avait existé, il m'aurait certainement déconseillé l'aventure. Cela prouve que, comme tout le monde, il peut se tromper ? Les débuts dans la vie requièrent de l'imprudence, de l'audace, de la folie. On est au bas de la hiérarchie et le principe de Peter ne s'applique pas encore. Non, Peter ne se serait pas trompé, il se serait déclaré incompétent.

Chats de rencontre

Charles Dantzig : « Sur l'île Saint-Louis que traversait Anne à pied dans la nuit, un petit chat noir semblable à une virgule qui marchait d'un pas hésitant lève les yeux à la façon d'une vieille dame, l'air pas même surpris », *Histoire de l'amour et de la haine*.

Les chats de rencontre sont toujours énigmatiques. Dans la rue, ils roulent des mécaniques. Ou bien, n'ayant pas d'autorisation de sortie, ils rasent les murs, s'accordant encore un peu de liberté avant de rentrer et de faire le gros dos sous les gronderies. Sur le pas de leur porte, ils nous regardent passer. On s'arrête. On leur parle. On les félicite pour leur beauté. Ils s'en fichent. Combien d'hommages en une seule journée ? Rares sont ceux qui ne se dérobent pas à la main qui veut les caresser. Accepterions-nous d'être tripotés par des inconnus ? Les chats qui agréent les câlineries des passants, en particulier des enfants, sont pour la plupart natifs du Verseau, ascendant Balance. C'est Alexandre Vialatte, l'astrologue auvergnat, qui m'a soufflé l'explication.

Les chats qui font les poubelles n'ont pas de domicile

fixe. De race européenne, viennent-ils de Roumanie, de Bulgarie, d'Albanie ? De vieilles dames déposent à leur intention des croquettes ou des restes de leur frichti dont les proportions excèdent volontairement leur appétit modeste. Libres, les chats de quartier ont autant d'habitudes et de manies que les chats d'intérieur, mais ce ne sont pas les mêmes, préférant, par exemple, vivre la nuit plutôt que le jour. Dans la pénombre, ils ressemblent, en effet, à des virgules. Ou à des croches. S'ils sont en couples, des doubles croches. D'où montent des musiques âpres et répétitives aux époques amoureuses. Pensant bien faire, les vieilles dames doublent alors les rations de croquettes et de rata. Mais les chats qui baisent ne mangent plus. Profitent de l'aubaine des coupés abandonnés, des estropiés, des retraités, des dégoûtés du sexe ou de la maternité.

À la campagne, les chats de rencontre sont moins énigmatiques que ceux des villes, parce qu'ils ont une adresse, des maîtres identifiés, un territoire, une réputation de chasseur, de coureur, de bon ou mauvais coucheur. Tout le monde se connaît dans un village, y compris chats et chiens. Ils sont souvent plus au courant de la vie locale que bien des habitants. On devrait leur accorder le droit de vote aux élections municipales.

Un couple se promenait au bord de la rivière quand ils entendirent des miaulements provenant d'un arbre dont l'abondance de branches et de feuilles cachait l'auteur des plaintes. Lui dut grimper pour découvrir un tout petit chat noir qui n'avait probablement dû son salut qu'à son habileté, découverte à cette occasion, à monter à l'arbre. Ils l'emportèrent et le confièrent à une Parisienne en vacances.

C'était une chatte. Elle s'habitua très bien aux quelque cent trente mètres carrés d'un appartement confortable, moquetté, bien chauffé, où elle pouvait savamment distinguer le douillet du moelleux. Mais, de retour au pays deux ou trois fois par an, elle se muait aussitôt en une chasseresse féroce et infatigable. Puis, comme si de rien n'était, elle renouait avec sa douce vie à Paris. Elle était née Lion, premier décan, ascendant Vierge, toujours selon Alexandre Vialatte.

Que les chats se portent à notre rencontre est plus gratifiant que l'inverse. Ainsi passons-nous pour être de leurs favoris. Nous dînions dans les jardins d'un restaurant de Provence, à la table la plus éloignée de la maison. Un beau chat noir sauta sur la balustrade de la terrasse et observa longuement la soixantaine de clients en chemisette et robe d'été. J'eus un pressentiment. « Il va venir nous voir », dis-je à ma compagne. En effet, sautant de son perchoir, il avança lentement entre les tables, indifférent aux « minou ! minou ! » et aux offres gourmandes. Plus il approchait, plus mon cœur battait fort. À quoi devions-nous cette faveur dont j'étais de plus en plus certain ?

Parvenu enfin jusqu'à nous, il se glissa sous la table et, de sa tête, de son poitrail et de sa queue, il se frotta contre nos jambes nues. N'attendant de nous aucune marque de reconnaissance, sinon quelques caresses hâtives et des exclamations de joie, il repartit de son pas nonchalant, sous les regards admiratifs ou jaloux des autres dîneurs.

L'euphorie passée, vint l'heure du doute. C'était une chance, un privilège du destin d'avoir été publiquement les élus de la tendresse d'un chat. Mais c'était un chat noir, noir de la tête au bout de la queue, et les chats noirs ont la réputation de porter malheur. Cette visite inattendue était-elle pour notre couple un gage de félicité ou le présage de son infortune ? Fallait-il ne retenir que la nature du messager ou la couleur de son poil ? Nous en avons longtemps débattu. Assez longtemps pour en conclure que les Égyptiens avaient raison de faire confiance à tous les chats, quelle que soit leur couleur.

Un professeur épatant

Antoine Silber : « J'ai embrassé mon frère, et puis Corinne. Salué Bernard Pivot, son ancien élève quand il était professeur au Centre de formation des journalistes, ainsi que quelques autres de ses vieux amis. Et je suis monté avec Marianne dans le fourgon mortuaire », *Ton père pour la vie*.

Dans le cercueil il y a le corps de Michel Chrestien, de son vrai nom Jacques Silberfeld, père d'Antoine Silber. Il a été en effet mon professeur de français au Centre de formation des journalistes et je lui dois beaucoup. Je lui dois notamment ma méfiance pour le premier mot qui vient vite sous la plume, un autre étant peut-être plus exact ou moins convenu. Je lui sais gré de m'avoir appris à commencer un article par une phrase qui intrigue ou bouscule le lecteur et à le finir par « une chute qui vous élèvera dans son estime ». Je lui suis reconnaissant de m'avoir mis dans la tête qu'une brève, un billet, une chronique exigent proportionnellement plus de soins qu'un long reportage ou une enquête parce que « plus la distance est courte, plus le choix des mots est essentiel ». Je ne le remercierai jamais assez de m'avoir encouragé et aidé de ses conseils à ne pas juger incompatibles rigueur et fantaisie, sérieux et humour. À « admiration » j'ai écrit quelques lignes sur lui dans *Les Mots de ma vie*.

Non, ce n'est pas par provocation que Jacques Silberfeld, fils d'un diamantaire juif d'Anvers – il avait préféré venir à Paris vivre chichement de sa plume –, décida de s'appeler Michel Chrestien. C'est le nom d'un personnage secondaire de Balzac qui meurt sur une barricade de 1830. L'épisode est relaté dans *Les Secrets de la princesse de Cadignan*. Il aimait Balzac et il justifiait le choix de ce pseudonyme bizarre pour un juif, alors qu'il était fier de l'être, parce qu'il lui paraissait improbable qu'un autre Michel Chrestien mourût tragiquement. De fait, il réussit à s'évader du fameux « train fantôme », le dernier en partance pour les camps de concentration. Il termina la guerre dans l'armée américaine.

Journaliste, critique littéraire, écrivain, traducteur (*Pnine*, de Nabokov, c'est lui), il adorait raconter et inventer des histoires drôles. Il en a même recueilli et publié dans un livre, *Esprit, es-tu là ?* Avec les histoires juives, il était à son affaire. Il ne m'en a jamais raconté. De Chrestien à chrétien, il n'osait pas ?

Jeune journaliste, je suis allé plusieurs fois, le dimanche, déjeuner à Neauphle-le-Château, où il habitait avec sa femme et ses enfants. J'arrivais vers midi. Il n'était pas rare qu'il fût encore au lit, en train de corriger des épreuves ou de lire à haute voix un ouvrage qui l'enchantait. Pour Michel Chrestien, la main de l'homme n'avait d'autre finalité que la saisie d'un livre ou d'un stylo. Il trouvait donc normal que je vinsse avec un livre et que je lui en lusse un passage qui m'avait plu (ces deux imparfaits du subjonctif l'auraient amusé). « Ah, pas mal ! pas mal ! » disait-il, pendant le cours de ma lecture, en se lissant le menton d'une main, l'autre tenant le volume sur lequel il allait rebondir.

Il coupait le gigot avec un soin très particulier, commentant ses gestes à la fois de scieur de long et de chirurgien, ou racontant une blague ou un mot d'auteur que lui avait rapporté son ami Jean Dutourd. Celui-ci lui avait dédié son meilleur roman, *Au bon beurre*. Évoquant Balzac ou Vialatte, Saint-Simon ou Alphonse Karr, Chrestien ne s'arrêtait de parler que pour se répandre dans un rire tonitruant dont l'explosion n'était pas toujours justifiée par le comique relatif de son dernier propos ou par ce que j'avais réussi à glisser dans le cours de son monologue d'hypermnésique de la culture.

À vingt-trois ans, profitant de six mois de liberté, j'écrivis un roman, *L'Amour en vogue*. À Lyon et dans sa région, la fête foraine s'appelle « la vogue ». Le narrateur et principal personnage était gratteur de têtes dans le train-fantôme. Cette ébouriffante profession et le jeu de mots du titre plurent beaucoup à Michel Chrestien à qui j'avais apporté le manuscrit. Sa lecture achevée, il me dit, en se lissant le menton : « Ah, pas mal ! pas mal ! » La sympathique insuffisance de mon péché de jeunesse me donne à croire aujourd'hui que les « pas mal ! » de mon maître relevaient plus de l'indulgence que de l'admiration. Il transmit néanmoins le manuscrit aux éditions Calmann-Lévy, qui l'éditèrent.

Je dus auparavant apporter quelques modifications. D'abord, couper des longueurs. Ensuite, introduire un chien dans le roman.

« Il devrait y avoir au moins un chien dans chaque roman. Cela humanise l'histoire », disait Chrestien, sérieux comme lorsqu'il enseignait au CFJ.

J'ajoutai un chien.

« Votre histoire d'amour, me dit-il encore, est plutôt gaie, même si elle se termine mal. Vous ne devriez pas clore le roman sur une note triste ou mélancolique. Ressaisissez-vous ! Montrez de la bonne humeur ! Cela correspond à votre tempérament et le lecteur refermera votre livre sur une note optimiste dont il vous saura gré. »

J'ai donc ajouté une page dans laquelle un héritage inattendu consolait très vite le narrateur de son chagrin d'amour. Il prenait conscience de l'atout qu'il avait dans les mains : sa jeunesse. Enfin, il lançait, dernière phrase du roman : « Lyon est une ville épatante : on y mange à l'heure des repas. »

« J'aime l'adjectif "épatant", commenta Michel Chrestien. Mon ami Dutourd l'emploie beaucoup, peut-être trop. Je me suis permis de le lui faire remarquer. Est-il adapté au fait qu'à Lyon on mange encore à l'heure des repas ? Je crains que cela ne dure pas, la tendance étant au recul systématique du déjeuner et du dîner. Il est exceptionnel que Lyon résiste encore. Cela mérite donc un adjectif plus fort qu'"épatant". Je vous suggère "merveilleuse" ou "miraculeuse". »

Je choisis « Lyon est une ville merveilleuse : on y mange à l'heure des repas ».

Plus d'un demi-siècle après, je suis convaincu que l'adjectif « épatant » convenait mieux. Peut-être aurais-je dû cette fois-là désobéir à mon épatant professeur et merveilleux ami.

De l'indiscrétion

Marcel Jouhandeau : « L'indiscrétion fait partie chez moi de la vitalité. Comme la curiosité est la racine de l'intelligence, l'indiscrétion en est l'extrême pointe », *Jeux de miroirs*.

Oui, il y a de la vitalité dans l'indiscrétion, et même une vigoureuse santé à vouloir s'immiscer dans les cachettes des convenances ou de l'interdit. Il y a un âge pour écouter aux portes et mettre un œil à la serrure, mais cela reste une tentation toute la vie. Y renoncer est moins une attitude morale que la marque d'une installation dans la torpeur.

Se refuser à l'indiscrétion est moins grave que se soustraire à la curiosité. Celle-ci est le levain de la pâte alors que celle-là n'est que la cerise sur le gâteau. Mais la gourmandise est d'autant plus satisfaite qu'on lui en donne davantage.

Avec les ordinateurs et les smartphones, jamais l'indiscrétion ne s'est exercée avec autant d'abondance et de facilité. Marcel Jouhandeau devait se contenter d'ouvrir les lettres ou le journal de sa femme, Élise. Aujourd'hui, combien de couples ruinés après la lecture de messages sur les écrans de l'autre ? Avec l'électronique, l'indiscrétion s'est banalisée.

Depuis, elle ne me plaît plus, la jugeant à la portée des caniches. Un clic, et vous voilà dans l'intimité de celui ou de celle qui a laissé traîner son téléphone portable ou qui a laissé ouvert son Mac. Navrant !

Dérisoire est l'indiscrétion au bout du pouce ou de l'index alors qu'elle doit être compliquée, longue et risquée, authentique mise en scène qui lui donne de l'envergure et du lustre. Une intrusion dans la vie de ses proches ou de tiers exige de l'imagination, de l'habileté, du temps, de la patience et même un peu de chance. Le cœur battant, avoir recours au guet et à la filature. Utiliser si nécessaire jumelles, appareil de photo, caméra, magnétophone dissimulé, smartphone laissé négligemment sur la table et tout système de renseignement un peu sophistiqué.

Ce qui donne son prix à l'indiscrétion, c'est l'énergie qu'on met à l'obtenir. En quoi, comme l'affirme Marcel Jouhandeau, elle est une preuve de vitalité. Se croire Smiley, le maître espion de John le Carré, ou rien.

Les années mémorables

Jonathan Littell : « Il y avait là des centaines de bouteilles parfois très vieilles, je devais souffler la poussière pour lire les étiquettes, dont certaines étaient entièrement moisies. Je choisis les meilleures bouteilles sans la moindre gêne (...), je trouvai un château-margaux 1900 et je pris aussi un ausone de la même année ainsi que, un peu au hasard, un graves, un haut-brion de 1923. Bien plus tard, j'ai compris que c'était une erreur, 1923 ne fut pas vraiment une grande année, j'aurais mieux fait de choisir le 1921 », *Les Bienveillantes.*

Maximilien Aue, le narrateur, officier SS, prend quelques jours de repos dans la maison désertée de sa sœur et de son beau-frère, alors que l'Allemagne s'effondre et que les Russes déferlent sur Berlin. La cave est tapissée de grands bordeaux. Il en connaît les noms, mais ignore la hiérarchie des millésimes. Dommage.

J'ai de même été piégé par un collectionneur de bordeaux qui, m'ayant ouvert sa cave alibabasque, m'a demandé de choisir trois bouteilles pour le dîner. S'offraient à moi tous les premiers crus du Médoc des années 50, 60 et 70, mais si j'avais en tête les meilleurs millésimes de Bourgogne, ceux des vins de Bordeaux m'échappaient. Je dus en faire l'aveu à mon hôte qui s'en étonna. Même si je n'avais pas encore écrit le *Dictionnaire amoureux du vin*, étant même à cent lieues d'imaginer que je me lancerais un jour dans ces vendanges de mots bachiques, je passais pour un amateur qui s'y connaissait. J'ai écouté avec humilité les commentaires gustatifs du richissime caviste sur les millésimes de son choix et je me promis de me frotter d'un peu plus près au vin de Bordeaux.

Les boutiques spécialisées dans le commerce du vin ainsi que certains restaurants – notamment *Taillevent* – donnent à leurs clients des petits dépliants où figure la cotation des millésimes des principaux vignobles de France. À quelques nuances près, les experts sont plutôt d'accord. Ne jamais sortir ce tableau si vous êtes invité, surtout au domicile de votre amphitryon. Les bouteilles qu'il a remontées de sa cave sont peut-être issues de navrants millésimes. Ainsi révéleriez-vous à la table les erreurs qu'il a commises dans ses achats ou le peu d'estime dans laquelle il vous tient.

C'est un manque flagrant de culture générale de ne pas connaître les grandes années de nos grands vignobles. Il y a autant de fierté nationale dans les chais que dans les ateliers de couture ou les usines d'automobiles. Je n'irai pas jusqu'à prétendre que 1928, 1947 et 1959 sont pour les vins l'équivalent de 1789, 1848 et 1945 pour l'histoire du pays. Mais, franchement, l'année 1515 et son Marignan n'usurpe-t-elle pas une place un peu trop grande dans la mémoire collective par rapport à 1947 et son Cheval Blanc, à 1961 et sa Romanée-Conti ou à 1990 et son Châteauneuf-du-Pape ?

Ayant toujours été favorable à un enseignement dans les lycées de l'histoire culturelle du vin, je trouverais judicieux que les futurs bacheliers apprennent et retiennent les dates des plus belles réussites de nos terroirs viticoles. La France entière du vin, ce serait probablement trop. Mais ce serait bien que les lycéens de Strasbourg et de Colmar sachent au moins les années prépondérantes des vins d'Alsace. De même les lycéens de Reims et d'Épernay pour les champagnes, de Dijon et Beaune pour les bourgognes, de Saumur, Angers et Nantes pour les vins de la Loire, de Bordeaux pour les Médoc, Saint-Émilion et Pomerol, etc.

Quid des lycéens de Lille, Cherbourg ou Brest ? On ne va quand même pas les punir d'être loin de toute vigne en leur faisant apprendre la carte de France des eaux minérales ! Que le professeur choisisse un vignoble, s'en fasse le géographe, l'historien, l'œnologue, et n'oublie pas de glisser dans son cours les dates des plus jolies bouteilles.

En avance sur leur biographie

Gary Cooper : « Ce qui était délicieux chez Jean (Seberg), c'est qu'elle avait appris à être une star avant de devenir une actrice », cité par Ariane Chemin, *Mariage en douce*.

Il existe, en effet, de rares personnes qui donnent l'image de leur réussite avant d'en avoir fourni les justifications. Par une sorte de grâce ou de génie, elles anticipent par leur comportement un statut qui est encore loin d'être le leur. Elles donnent des preuves de ce qu'elles seront alors qu'elles sont occupées, sans être assurées d'y parvenir, à légitimer les espoirs mis en elles et à obtenir la position qui les conduira à celle à laquelle elles paraissent être déjà parvenues.

Charles de Gaulle en est l'exemple le plus éclatant. Lieutenant, il était déjà général. Autoproclamé à Londres chef de la France libre, il gagnait l'histoire de vitesse, s'assurant la première place dans le défilé de la victoire sur les Champs-Élysées. Pas encore élu, il possédait depuis longtemps la voix et les gestes du président de la République. Encore vivant, il était promis pour la postérité au plus élevé, la place de l'Étoile et un aéroport. De Gaulle allait plus vite que sa biographie.

Mari de Jean Seberg, Romain Gary était aussi en avance sur sa destinée. Il est vrai qu'il était de son devoir filial d'attester les prophéties de sa mère juive, convaincue qu'il ferait honneur à la France comme écrivain et diplomate. Premier prix de composition française du lycée de Nice, c'était autant de joie et de fierté pour un petit Slave émigré que s'il avait reçu le prix Goncourt. Il l'obtiendra deux fois. Avec son physique d'acteur américain et ses aventures héroïques dans des bombardiers au-dessus de l'Allemagne nazie, il avait joué sa peau, et son avenir à Los Angeles où l'attendait le rôle de consul général de France. Bon joueur d'échecs, Romain Gary savait anticiper.

De même Colette a toujours eu un coup d'avance. Sa réputation d'écrivain était établie alors qu'elle n'était que le nègre de Willy. Deuxième femme à entrer à l'académie Goncourt, entourée de neuf écrivains barbus ou moustachus, d'emblée elle avait eu le prestige, l'autorité et l'influence d'une présidente. Elle le deviendra quatre ans plus tard. La circulation assumée de son corps du lit des hommes au lit des femmes continue à donner d'elle l'image d'une femme libre. Colette ou les talents annonciateurs.

Mais sa fin de vie fut douloureuse et pénible. Plutôt qu'immobilisée par une polyarthrite, il aurait été plus conforme à sa charnelle nature qu'elle tirât sa révérence, d'une traite, sous les marronniers du Palais-Royal.

Charles de Gaulle ne pouvait pas finir, lui, dans un lit,

rongé de l'intérieur, prolongé par des amputations ou de la chimiothérapie. Nous savions tous qu'il mourrait tel un chêne qu'on abat, métaphore de Victor Hugo reprise par André Malraux. La légende gaullienne exigeait qu'il partît vivant, terrassé par le fatum et non par la maladie.

La plupart d'entre nous n'ont pas cette chance. Nombreux sont ceux qui portent leur fin sur leur visage. Ils affichent l'inéluctable. Déjà ils nous préparent au deuil. « Le corps de mon père avait été pris par la maladie, couturé, marqué, mangé par elle ; mort avant la mort », Marie-Hélène Lafon, *Histoires*.

Les Goncourt et l'amour

Patrick Besson : « Il faut que je me dépêche de la draguer avant que le Goncourt ne la remarque. C'est un tombeur. En plus, toutes les filles veulent coucher avec un Goncourt », *Un état d'esprit*.

Les Prix Goncourt sont discrets sur les bonnes fortunes qu'ils doivent à leur couronnement médiatisé chez Drouant. Il est possible que, quoique moins endiablées que les hordes de candidates au lit des rockeurs, des femmes ambitionnent de se glisser dans l'intimité des lauréats. Ce que le public sait de l'écrivain ou la lecture de son roman doit probablement opérer une sélection. Par exemple, pour Didier Decoin (*John l'Enfer*) : des Cheyennes et des aveugles. Patrick Modiano (*Rue des boutiques obscures*) : des Parisiennes en baguenaude. Yann Queffélec (*Les Noces barbares*) : des Bretonnes violées. Tahar Ben Jelloun (*La Nuit sacrée*) et Atiq Rahimi (*Syngué sabour. Pierre de patience*) : des sans-papiers. Patrick Rambaud (*La Bataille*) : des veuves de militaires. Jonathan Littell (*Les Bienveillantes*) : des sadomasos. Michel Houellebecq (*La Carte et le Territoire*) : des mémères avec des petits chiens.

Patrick Besson a ajouté : « Je me demande si c'est pareil quand une femme a le Goncourt. » Hélas ! je ne peux plus le demander à Edmonde Charles-Roux. Je le demanderai à Paule Constant.

L'élection à l'académie Goncourt procure-t-elle un surcroît de séduction ? Je n'ai rien ressenti de tel. J'ai plus observé des signes d'intérêt chez les éditeurs que des marques d'affection des bourgeoises de Saint-Germain-des-Prés et des Ternes. Deux ou trois lettres de province, mais timides, sans passion. Derrière, je flairais le roman refusé et resté inédit. Arrivé à un certain âge, l'homme de lettres doit se méfier des créatures promptes à lui ouvrir leur lit. Elles ne tarderont pas à ouvrir leurs tiroirs bourrés de manuscrits.

J'ai cependant constaté chez certaines femmes une appréciation de ma personne rendue un peu plus flatteuse par mon appartenance à l'académie Goncourt. C'est, j'imagine, grâce à nos déjeuners mensuels. Nous mangeons, nous buvons, nous faisons bombance. Nous avons la réputation justifiée pour la plupart d'avoir un bel appétit.

Le menu du déjeuner du jour du Goncourt, c'est à n'y pas croire ! En voici un récent :

Soupe de grenouilles.
Terrine de coquilles Saint-Jacques aux poireaux, huître et caviar.
Filet de sole poché, sauce crémeuse au Riesling.
Salade de mâche aux ris de veau rôtis et aux cèpes crus.

Noisette de chevreuil poêlée, accompagnée d'une tourte au foie gras.
Fromage de brebis Ossau-Iraty et chutney aux figues.
Brioche perdue servie avec une poire caramélisée et une glace à la bière.
Champagne, Puligny-Montrachet, Bandol, Château Rauzan-Ségla, second cru classé de Margaux, eaux-de-vie.
(Menu du 3 novembre 2015, Goncourt attribué à Mathias Énard pour Boussole*).*

Nous ne déjeunons qu'après avoir débattu des mérites des quatre livres finalistes et voté. On s'en serait douté.

Cette alliance de la littérature et de la gastronomie donne des Goncourt l'image de bons vivants. Des gourmets qui aiment les livres et la vie. Des lecteurs sérieux dans leurs choix romanesques, des amis enjoués et blagueurs dans leurs manières de table. Cela nous vaut une plus-value de sensualité gourmande et de sympathie.

Rien de tel à l'Académie française. Ce sont de purs esprits qui ne mangent ni ne boivent, ou en coup de vent, après la séance du dictionnaire du jeudi matin. Les hommes ne tirent leur séduction auprès des femmes que de leur discrète intimité avec les mots ou du solennel apparat de leurs réceptions. Pas folichon tout ça. Un abonnement mensuel à vie dans un délicieux restaurant littéraire et un couvert en vermeil à son nom paraissent plus enviables et charismatiques que l'immortalité sous un bicorne et une Coupole classée monument historique.

Je dois cependant à la vérité de mentionner que l'habit vert est chargé d'érotisme pour certaines femmes, peu nombreuses mais d'autant plus ardentes au déduit que le contact de leurs doigts avec le grain d'un tissu de bonne coupe, chargé de symboles, les a électrisées.

On disait qu'Anatole France recevait ses maîtresses en habit d'académicien, l'épée à la hanche, telle une stimulante promesse. Il n'aimait rien tant que les mains de ses lectrices lui retirent les pompeux et chatoyants attributs que ses livres lui avaient mérités. Vêtus comme tout le monde, les académiciens Goncourt, hommes et femmes, ne bénéficient pas de ces appas vestimentaires.

Mais leur salon au premier étage du restaurant Drouant, donnant sur la jolie place Gaillon, est autrement plus cosy que les vastes et solennels amphithéâtres et salons des Immortels, quai de Conti. Quand des amis me demandent de visiter le salon des Goncourt, je suis fier d'en pousser la porte et de les introduire pendant quelques minutes, sous le regard d'Edmond, dans cette pièce dont la célèbre table ovale occupe une grande place. Dans les vitrines, photos, livres, souvenirs divers. Entre les boiseries on ressent le poids de l'histoire littéraire.

Si j'accompagne une ou plusieurs femmes, j'éprouve la fallacieuse et délicieuse impression de leur ouvrir ma garçonnière. C'est que le salon appartient un peu à chacun des dix Goncourt en activité. Depuis plus d'un siècle que plusieurs générations d'académiciens s'y sont succédé, l'un d'entre eux a-t-il eu l'audace et le plaisir troublant d'y faire l'amour ?

Chambre de bonne

C'était la faute de Philip K. Dick, en somme. Emmanuel Carrère avait engagé comme jeune fille au pair une hippie d'une cinquantaine d'années parce qu'elle partageait sa passion pour l'écrivain américain de science-fiction. Elle l'avait connu à San Francisco et avait fait du baby-sitting pour sa fille. Aux yeux de Carrère, cela valait toutes les références et recommandations. Étant alors dans sa période (trois années) de foi chrétienne, ardente et exigeante, il avait même pensé que « cette femme qui prie pour la pauvre âme de Philip K. Dick » lui avait été envoyée par Dieu.

Dieu n'est pas très au courant des qualités exigées d'une gouvernante pour enfants. Jamie se révéla être, dès le premier jour, une catastrophe. Le récit de son inaptitude revendiquée et provocatrice à assumer ses fonctions donna à Emmanuel Carrère l'occasion d'exercer sa verve comique (*Le Royaume*). Lui-même était devenu un personnage burlesque, empêtré dans des sentiments contradictoires : tantôt père de famille et patron, il exigeait que Jamie quittât la chambre de bonne où elle s'était installée, puis retranchée ; tantôt bon chrétien, il se refusait à jeter à la rue l'une de ces malheureuses personnes qui sont les protégées de Jésus et la gloire de l'Évangile.

La conscience de Carrère ? L'enfer.

Ma conscience n'était pas aussi ravagée que la sienne quand je dus affronter un cas assez similaire au sien, mais elle en était très tourmentée. En 1969, j'emménageai avec ma famille dans un appartement, avenue Niel, loué à la propriétaire qui habitait juste au-dessus de nous. La chambre de bonne qui faisait partie du lot avait été sous-louée par notre prédécesseur à Jo, un jeune Noir, petit, râblé, sympathique au premier abord. De la main à la main, il s'acquittait d'un loyer d'un montant scandaleusement disproportionné avec la maigre surface dont il disposait. Par héritage, j'étais devenu un négrier et j'étais bien décidé à y mettre fin.

Nous ne nous étions posés que depuis quelques jours quand un, puis deux, puis trois locataires de l'étage des chambres de bonnes sonnèrent à la porte pour se plaindre de Jo. Il était vindicatif, querelleur, et menaçait ses voisins d'un couteau. La pièce où il vivait étant située à côté des W.C. collectifs, il ne supportait pas le bruit de la chasse d'eau, surtout pendant la nuit. À deux ou trois heures du matin, il n'était pas rare qu'il raccompagnât dans sa chambre une malheureuse femme dont la peur avait cédé devant un besoin urgent et qui, la pointe du couteau appuyée sur les étoffes de son peignoir et de son pyjama à hauteur de la hanche, regrettait son audace et tremblait pour sa vie. Tous s'étaient plaints à mon prédécesseur qui les avait accusés d'être racistes. Quant à la propriétaire, elle ne faisait rien. La police non plus.

Un jour, il y aura un drame, c'est certain. Cet individu est votre locataire. Vous en êtes responsable.

J'allai voir Jo pour lui demander de se calmer. Une seule fois, il avait sorti un couteau et, depuis, il le regrettait. Oui, le bruit de la chasse d'eau lui gâchait la vie. Il accusait les locataires de l'étage – des femmes d'un certain âge, pour la plupart – d'attendre son retour dans sa chambre pour se rendre en cortège aux toilettes. Si elles y allaient en pleine nuit, ce n'était pas parce qu'elles en éprouvaient le besoin, mais pour le réveiller, exciter sa colère, l'empêcher de dormir et le pousser à quitter les lieux. Partir, justement, il allait devoir le faire le plus tôt possible, j'avais besoin de sa chambre pour y loger notre employée. Je jugeai plus habile de lui asséner ce mensonge que de le sanctionner pour les troubles provoqués à l'étage par sa présence et son comportement. Il me supplia de le garder. Qui voudrait loger un pauvre Noir sans emploi ? Quelle chance avait-il de retrouver une chambre, même toute petite, même rendue incommode par la proximité d'une chasse d'eau, même trop chère pour ce qu'elle était ?

Je revins ébranlé de ma visite à Jo. Le jeter à la rue serait dégueulasse. Pour convenances personnelles, pouvais-je commettre un acte aussi barbare ? Emménager avec ma famille dans un spacieux appartement aurait donc pour conséquence la perte par un jeune homme des quelques mètres carrés où il abritait sa misère et sa solitude ? Non, c'était impossible. Voici ce que j'allais faire : garder Jo, lui annoncer qu'il ne me paierait aucun loyer et organiser une rencontre avec les locataires des chambres de bonnes pour établir des règles de vie commune.

Le surlendemain, je fus convoqué à la police. Deux plaintes avaient été déposées contre mon sous locataire. Ce n'est pas le mien, dis-je, c'était celui de mon prédécesseur. C'est maintenant le vôtre. Armé d'un couteau, il a interdit l'accès aux toilettes de l'étage pendant toute la soirée d'hier. Nous avons le témoignage d'un homme qui est allé dîner chez une voisine de votre sous-locataire que, par parenthèse, vous n'avez pas déclaré… Mais il occupait les lieux avant que j'arrive… Maintenant vous êtes arrivé, il est là, et vous avez négligé d'en avertir qui de droit. Heureusement pour vous, la propriétaire s'est portée garante de votre bonne foi…

L'entrée de la propriétaire dans le concert a tout et rapidement changé. Comment s'y est-elle prise pour obtenir si vite l'expulsion de Jo ? Trois ou quatre jours après, il avait déguerpi, ne laissant dans la chambre qu'un petit tas de journaux, d'emballages en plastique, de cannettes vides et de chiffons sales. Il avait emporté la clé alors que Jamie avait laissé la sienne sur la porte.

J'étais soulagé. Honteusement soulagé tandis que j'observais les reliefs abandonnés par la misère dans ses tristes vagabondages.

La double gourmandise

Félicien Marceau : « – De la confiture ? Avec de la brioche ? J'y ai déjà mis du beurre, a dit la petite fille.

– Du bon sur du bon, ça ne peut faire que du bon », *Bergère légère.*

Adepte de la tartine beurre-confiture, j'en ai fait la découverte pendant la guerre qui n'était pas la meilleure époque pour étendre sur du pain la double gourmandise. Le plus souvent, ne se présentait au petit déjeuner que du beurre ou de la confiture, celle-ci très peu sucrée et celui-ci pâle, allégé, mou. Si, par chance, il y avait les deux, il fallait choisir, sauf les matins des fêtes carillonnées, ma mère ouvrant dans un bel élan mystique et maternel son maigre garde-manger à Dieu et à ses enfants.

La double tartine sur du pain frais ou grillé, beurre-confiture, beurre-miel, beurre-chocolat, etc., m'a toujours paru être le comble de la gourmandise et surtout du luxe. Pouvoir s'offrir, chaque matin, le plaisir d'associer à la jaune onctuosité du beurre le sucre rouge, noir ou orangé d'un ou de plusieurs fruits relève de la banalité à notre époque d'abondance. Il n'est cependant pas interdit de tirer du beurre-confiture un plaisir réfléchi, discret, exquis, et d'avoir une pensée de reconnaissance pour le premier homme qui eut l'idée de recouvrir un produit issu de l'étable d'un autre recolté dans le verger. « Du bon sur du bon, ça ne peut faire que du bon. »

La phrase de Félicien Marceau, qui célèbre l'hédonisme et encourage l'audace en cuisine ou à table, mériterait d'accéder au rang de maxime.

Mauriac et le denier du culte

En 1965, François Mauriac a eu quatre-vingts ans. Dans la « biographie intime » de l'écrivain, Jean-Luc Barré raconte l'hommage solennel que lui rendit Bordeaux, sa ville natale. « Pour une grande partie de la société bordelaise, Mauriac reste celui auquel l'ancien maire pétainiste de la ville, Adrien Marquet, reprochait un jour d'être devenu "traître à sa classe". Un traître que ni l'Académie ni le prix Nobel n'ont rendu fréquentable… » Mais le temps a passé, la gloire de l'écrivain et polémiste a vaincu ou désarmé momentanément ses ennemis, et « la cérémonie prend des allures de triomphe pour l'homme de Malagar, acclamé debout par tout ce que la ville compte de notabilités », *François Mauriac*, 2 volumes.

Le couronnement national et littéraire de Mauriac eut lieu à Paris, au Ritz, où son éditeur, Bernard Privat, patron de Grasset, réunit deux cents invités pour un fastueux dîner d'anniversaire. « Le sacre du dernier grand écrivain régnant… », écrit Jean-Luc Barré.

Ne voulant pas être en reste, *Le Figaro* décida d'offrir un cadeau à son prestigieux chroniqueur. Tous les collaborateurs du journal furent priés de verser leur obole afin que le présent témoignât d'une admiration et d'une affection collectives. Admiration, oui, affection, non : je refusai de participer à la collecte. Et m'en expliquai devant Michel Droit, rédacteur en chef du *Figaro littéraire*, aussi peiné que scandalisé.

Chaque semaine, je commençais ma lecture du *Figaro littéraire* par le « Bloc-Notes » de François Mauriac. Je faisais de même quand il le publiait dans *L'Express*. Je recevais chaque fois une leçon d'écriture. Élégance, subtilité, art des commentaires et des digressions, choix des mots exacts, métaphores exquises, et cette manière très chrétienne de glisser des vacheries feutrées ou des compliments assassins. Même si, à mon goût, il retournait trop souvent sur sa terrasse de Malagar, les sujets qu'il abordait, politiques, historiques, littéraires, religieux – et lui, Mauriac, dans ses méditations et son égotisme de grand écrivain –, m'intéressaient presque toujours. L'auteur des *Nouveaux mémoires intérieurs* était un fameux journaliste.

Mais aussi un confrère distant et froid.

Souvent, Mauriac venait au rond-point des Champs-Élysées pour une visite au directeur du *Figaro* et, en même temps, au rédacteur en chef du *Figaro littéraire*. Pas une seule fois – je dis bien, pas une seule fois en six ou sept années – il ne poussa la porte du salon du premier étage où étaient réunis les rédacteurs de *son* journal, celui dans lequel il écrivait chaque semaine : *Le Figaro littéraire*. Assise à un bureau à côté des nôtres, il y avait même sa secrétaire, Armelle Roux de Bézieux, qui tapait son courrier et ses textes. Pas une seule fois, il ne vint la saluer.

Était-ce du mépris pour la piétaille du journal ? Non, il le réservait à des écrivains, tel Roger Peyrefitte, qui mettaient le feu à sa réputation et, quoique ses ennemis, étaient de son monde littéraire ou politique. Je crois qu'il n'avait pour nous que de l'indifférence. Même si nous signions des articles à la suite des siens, nous n'étions à ses yeux que les soutiers de l'hebdomadaire qui battait pavillon Mauriac.

Alors, pourquoi donner de son bon argent à un homme sans générosité ? J'entraînai quelques-uns de mes camarades dans cette petite fronde où nous ne risquions rien, sinon les regards courroucés de la direction. François Mauriac n'était quand même pas Dieu le Père, et lui refuser le denier du culte ne pouvait être considéré comme une faute professionnelle justifiant le renvoi du journal.

Jeunes journalistes au *Figaro littéraire*, en particulier Jean Chalon, nous étions d'autant plus sensibles à l'indifférence de François Mauriac que nous recevions, chaque semaine, la visite d'André Billy qui venait relever son courrier et qui aimait perdre son temps à nous raconter des histoires sur Apollinaire, Marie Laurencin, Léautaud, Max Jacob, sur les écrivains qu'il avait fréquentés ou approchés pendant la première moitié du XXe siècle. Ce vieil académicien Goncourt, qui tenait dans le journal une chronique dite « du samedi », était disert et charmant. Je l'aimais beaucoup. Pour ses quatre-vingts ans, en 1962, il n'y eut pas de quête au *Figaro* pour lui offrir un cadeau. J'aurais volontiers donné.

Les lèvres fermées

Plus âgé et plus fort que moi, le garçon me renversa sur l'un des bureaux de la classe déserte et, mes bras prisonniers de ses mains habiles, m'embrassa sur la bouche. Je sentis le contact désagréable de ses lèvres sur les miennes, fermées. Puis, se relevant, il me relâcha. Il n'avait pas l'air d'un vainqueur. Plutôt gêné par son audace, m'a-t-il semblé. Bientôt humilié de me voir tirer un mouchoir de ma poche pour m'essuyer. Sans un mot il se retourna et partit. Aussi gênés l'un que l'autre, par la suite nous n'avons jamais évoqué ce baiser interdit, volé, raté.

Durant mes cinq années d'internat, ce fut là mon seul contact avec le corps des garçons. Je ne les attirais pas et ils ne m'attiraient pas, alors qu'une affiche de cinéma représentant une pianiste en robe de soirée, les épaules nues, me chauffait le croupion pendant toute la soirée.

Nous ignorions les mots *homosexualité* et *homosexuel*. On se contentait de *pédéraste* et *pédé*. Circulait aussi le mot *inverti*, mais il nous paraissait savant et obscur.

Le pensionnat Saint-Louis, à Lyon, était tenu par les

frères du Sacré-Cœur. Selon eux, tous les péchés de chair menaient directement en enfer, surtout la masturbation solitaire. Alors, à deux ! Qui aurait osé s'y risquer ? Personne, imaginais-je. J'en suis moins sûr aujourd'hui après avoir lu *Les Feux de Saint-Elme*, nom d'un internat d'Arcachon où Daniel Cordier, qui sera le secrétaire de Jean Moulin pendant la Résistance, a passé son adolescence.

Lui fut très tôt aimanté par le corps des garçons. Avec deux de ses camarades de classe pour lesquels il nourrissait de la passion, il échangea étreintes et caresses. Initié à des jeux érotiques par des aînés qui lui étaient indifférents, il ne parvint pas jusqu'à la fusion, tant espérée, tant imaginée, avec les corps des bien-aimés. Non par crainte d'être surpris, mais par peur du péché.

Les dominicains de Saint-Elme ne devaient pas être moins vigilants et sévères que les frères du Sacré-Cœur de Saint-Louis. Certains de leurs élèves parvenaient pourtant à tromper leur surveillance. Ils étaient assez malins pour trouver des cachettes à l'intérieur du collège et du temps sur leurs études et les récréations pour se donner du plaisir. Pourquoi n'en aurait-il pas été de même à Saint-Louis ?

Je n'ai jamais su qu'il y eût des Daniel Cordier, des Bob, des David. Étais-je naïf ? Aveugle ? Innocent ? Idiot ? Mes copains itou ? Il est possible que, indifférents au charme des garçons, incurieux de ces choses-là, nous n'ayons pas remarqué le penchant de quelques-uns, ni su surprendre leurs mines, leurs regards, leurs invites, peut-être leurs étreintes. Leur prudence les préservait de tout soupçon. Le non-dit avait pour meilleure alliée la hantise du scandale. Et puis la maîtrise d'un secret est souvent plus gratifiante que le plaisir éphémère de sa divulgation. Preuve en est que je n'ai fait la confidence à personne du baiser interdit, volé, raté. Ce n'est pas un hasard si j'ai oublié le prénom et le nom du garçon. Je revois son visage. Il n'était pas mal.

Les chiens de Dagobert

Dans une lettre à son ami anglais, l'aristocrate et romancier Horace Walpole, la sublime madame du Deffand a écrit : « Nous avons un dicton ici qui dit : "Quand Dagobert voulait noyer ses chiens, il disait qu'ils étaient enragés." » Depuis 1768, année de cette lettre, Dagobert a disparu et le dicton est devenu maxime : « Qui veut noyer son chien l'accuse de la rage. »

En compilant la documentation pour écrire *100 expressions à sauver*, j'avais été frappé par le nombre de locutions, proverbes, adages et maximes forgés de la vie des animaux. J'avais surtout été désagréablement surpris par la cruauté du sort que leur réserve la verve populaire. Des *chiens écrasés* (petites informations locales) à *noyer le poisson* (embrouiller volontairement une affaire), de *crier haro sur le baudet* à *avoir d'autres chats à fouetter*, de *vendre la poule au renard* (trahir) au *coup du lapin*… J'ai entendu une éthologue, talentueuse avocate de la cause des animaux, lancer dans le feu de la conversation : « Ne vendons pas la peau de l'ours avant de l'avoir tué. » Quelle mouche l'avait piquée ?

Rien d'étonnant à ce que de tous les animaux le chat et le chien nous aient inspiré moult expressions et proverbes. Ils nous sont les plus proches et les plus familiers. Et comme ils nous observent plus et mieux que nous ne les regardons, il est possible qu'ils disposent eux-mêmes d'un florilège d'expressions et de proverbes nés de l'examen de leurs maîtres, maîtresses, et de leurs enfants.

En raison de leurs multiples activités, les chiens – de police, de chasse, d'aveugle, de garde, de compagnie, etc. – l'emportent peut-être sur les chats pour le nombre de locutions et de maximes.

Bien qu'on n'y joue plus guère, *recevoir quelqu'un comme un chien dans un jeu de quilles* se dit encore. Même s'ils sont admis dans les bowlings, les chiens ne peuvent y ficher la pagaille. On ne modernisera donc pas l'expression.

Ne pas attacher son chien avec des saucisses (être radin) n'est plus guère usité. C'est pourtant une expression amusante. A-t-elle été victime des croquettes ?

En revanche, il n'est pas rare d'entendre quelqu'un s'exclamer : « Celui-là, *je lui garde un chien de ma chienne !* » (un jour, je me vengerai). Le ressentiment, la haine sont de bons conservateurs des expressions de toute nature. C'est pourquoi *Qui veut noyer son chien l'accuse de la rage* (quand on a décidé de se séparer de quelqu'un, toutes les raisons sont bonnes) aura toujours de l'avenir. Molière emploie l'expression dans *Les Femmes savantes* : « Hélas ! l'on dit bien vrai : Qui veut noyer son chien l'accuse de la rage. » (Acte II, scène 5)

Molière écrit cela un siècle *avant* la lettre de madame du

Deffand à Horace Walpole. Il s'était déjà dégagé de toute référence à Dagobert. C'est peut-être ici, la première fois, que la maxime prend sa forme définitive. Molière est un moderne. Mais, grâce à la marquise, nous savons quand l'expression est née et sous quelle version.

Le déjeuner du dimanche

« Si les Français prennent plus de temps pour manger le dimanche, c'est notamment parce que ce repas est un moment d'échange privilégié au sein du groupe familial. Pour beaucoup, le déjeuner du dimanche est en effet synonyme de repas en famille », Thibaut de Saint Pol, *Le Repas gastronomique des Français*.

Un jour, trois jeunes gens descendus des hauteurs de France Télévisions me prièrent autour d'une grande table. Ils appartenaient au service marketing. Avec déférence, ils m'expliquèrent que, depuis dix-huit ans, la dictée, le samedi à treize heures, était une erreur. Il fallait la déplacer au dimanche, même heure. Ils avaient fait des calculs, tracé des courbes, confronté des chiffres, remué des paramètres, secoué des habitudes et des idées reçues. Le résultat était clair, évident : le samedi, les gens n'ont pas le temps de faire la dictée ; le dimanche, leur tête et leurs mains sont disponibles. Jongler avec les mots est plus une activité du septième jour que du sixième.

À quoi j'ajoutai perfidement que la mortification

chrétienne par l'orthographe est, à l'évidence, un plaisir dominical. Les autres jours de la semaine, nous sommes moins portés sur l'aveu de nos fautes et sur la repentance.

« Mais, dis-je aux trois jeunes gens qui croyaient m'avoir déjà converti à leur idée, avez-vous songé au sacro-saint déjeuner du dimanche ?

– Quel déjeuner ?

– Dans les familles françaises, pas toutes mais elles sont nombreuses, on se réunit chez les grands-parents ou les parents pour le déjeuner dominical. Vieille tradition qui remonte à la poule au pot d'Henri IV. Bien souvent, surtout en province, dans les familles aisées, ce déjeuner a lieu au restaurant. N'avez-vous pas remarqué que, le dimanche à midi, les tables de 4, 5 ou 6 couverts sont plus nombreuses que les autres jours ? »

Dans l'ignorance d'un rituel familial et gastronomique auquel, semble-t-il, ils avaient échappé, les jeunes spécialistes du marketing n'en avaient pas tenu compte dans leurs projections chiffrées. C'était fâcheux.

« On peut imaginer, dit l'un, que dans la plupart des familles, soit on fera la dictée en mangeant, soit le déjeuner sera reporté après quatorze heures.

– Vous n'y pensez pas ! répondis-je, offusqué. Autant le déjeuner du samedi n'a guère d'importance, il peut être sauté, bâclé ou retardé, autant celui du dimanche est intouchable. Même l'apéritif est incompatible avec l'exercice d'une dictée, qui est longue et exige le silence. Le soufflé, les quenelles, le papeton ou les huîtres déjà ouvertes n'attendent pas. Le gigot a son heure, le poulet est impatient. Il y va de l'honneur de la cuisinière, plus encore du grand-père ou du père, si c'est un cuisinier du dimanche. Je connais les Français : ils sont gourmands de mots, ils sont plus encore gourmands de mets. »

Loin de moi l'idée de nier l'utilité du marketing. De technique il est devenu une science. Il s'enseigne et on l'apprend. Pas une idée nouvelle ou un produit nouveau qui ne naisse dans le cerveau de son inventeur sans, déjà, l'amorce d'un plan marketing. Les professionnels prennent ensuite le relais. Ne pas se tromper de cible, de positionnement, d'habillage, bref de stratégie. Tous les moyens modernes de communication, de promotion, voire de passion, sont alors mis en œuvre. Le marketing, c'est faire de l'additionnel une nécessité.

Mais le marketing, c'est aussi et d'abord du bon sens. Des conclusions simples et évidentes auxquelles il est possible qu'on aboutisse après de longs calculs. Ou qu'on ne retrouve pas, comme dans le cas de la dictée le dimanche, par méconnaissance, au départ, des usages du public.

Autre souvenir de marketing. Sur Antenne 2, le choix et l'enchaînement des émissions du vendredi soir ont toujours été considérés comme une programmation exemplaire. Réussite de la stratégie marketing de la chaîne, lors de sa refondation en janvier 1975. Idée pertinente, en effet, après une fiction et avant le film du ciné-club, de proposer une émission littéraire. Le lendemain, samedi, est un jour de flânerie et d'achats, en particulier dans les librairies.

À la vérité, c'est par hasard qu'*Apostrophes* a été programmée à l'écran le cinquième jour de la semaine. Aucun producteur ni animateur ne voulait s'y mettre. Car la concurrence des deux autres chaînes était ce soir-là impitoyable. *Au théâtre ce soir* cartonnait sur la première et un film grand public était à l'affiche de la troisième. Ma modeste expérience d'*Ouvrez les guillemets*, sur la Une, pendant dix-huit mois, ne m'autorisait pas à mêler ma voix à celles des puissants barons de la nouvelle chaîne. Ils avaient choisi des soirées moins exposées. Va donc pour moi le vendredi. En direct.

Il n'existe aucune photo de la première d'*Apostrophes*. Pas un seul photographe d'agence ne s'était dérangé, pas même un photographe de la chaîne. Dans l'enthousiasme de débuts novateurs, audacieux, mais assez brouillons, la direction technique d'Antenne 2 oublia d'enregistrer l'émission, ainsi que les suivantes. À la surprise des spécialistes, l'audience était excellente. « Les lectures de François Mitterrand », sujet de la cinquième, réunit un public considérable. Et voilà que la chance s'en mêlait : devant les protestations des professionnels du cinéma, le film de la troisième chaîne fut supprimé. La soirée du vendredi devenait plus ouverte.

La chance, c'est le marketing des dieux.

Les mots qui font des trous

« Les vrais mots de l'amour font des trous dans la page », François Nourissier, *À défaut de génie.*

C'est une bien jolie phrase, François, mais elle est fausse. Les mots de l'amour, fervents, ardents, et même idolâtres, ne trouent rien, pas même la page du carnet ou de correspondance. Brûlants, incendiaires, ils ne mettent pas le feu au papier. Ils sont d'un flegme ! Qui leur a appris l'impassibilité dans les bourrasques sentimentales, le sang-froid dans les élans du cœur et du sexe ?

On voudrait que les mots de l'amour ne disent pas seulement ce qu'ils sont chargés de dire, qu'ils en fassent plus, qu'ils sortent de leur sens habituel pour s'exprimer avec plus de force ou de séduction. On aimerait que ces mots qui ont la chance d'avoir été choisis pour annoncer, porter, donner de l'amour manifestent leur reconnaissance par un surcroît de glamour. Et qu'ils aient même l'initiative d'une réactivité physique : sauts de joie, écriture d'elle-même artistique, points multicolores sur les *i*, accents en folie, trous dans la page…

Les mots de l'amour qui sortent de la bouche, spontanés ou prémédités, prononcés avec une calme assurance ou la fébrilité de la passion, y mettent davantage du leur. Ils compensent leur fugacité par du son, de l'intonation, la modulation de l'émoi ou du trouble. Ces mots qui ont bougé la langue et écarté les lèvres sont humectés de salive. Ils ont le goût de l'haleine. Ils sont portés par le souffle. Ce sont des mots en représentation. Ils jouent sur la scène de l'intime. Eux en rajoutent dans l'émotion, dans la résonance. Ils connaissent leur pouvoir, et c'est avec une sorte d'orgueil qu'ils partent à la conquête de l'autre.

Mais ces mots de l'amour dits les yeux dans les yeux ne tiennent pas la distance. Ils se tassent dans la mémoire. Le temps les érode, surtout si dans la vie du couple les frimas gagnent chaque année sur l'ensoleillement. Arrive l'époque où l'on ne se souvient plus que d'une scène fugitive à laquelle on est bien incapable de mettre les sous-titres exacts. C'est dans la mémoire que ces mots-là de l'amour ont fait des trous.

En revanche, les mots sur le papier ont une longue existence. Si le billet, la lettre, les carnets, le journal intime n'ont pas été détruits – jalousie, haine, remords, vergogne, pudeur, volonté de repartir de zéro, les raisons ne manquent pas –, s'ils n'ont pas été perdus au cours de déménagements dus justement à d'autres déclarations d'amour, ce qui a été écrit, il y a vingt, trente ou cinquante ans, soudain renaît de l'oubli. Ce peut être démodé, un peu ridicule, risible. Ce peut être aussi beau et émouvant. L'élan est toujours vivace, la promesse vaillante. Ces vrais mots de l'amour ont vieilli dans la dignité. Le temps leur a ajouté de la mélancolie, peut-être de la contrition, une sorte de patine sentimentale. Ils ont perdu leur flegme. Ils pleurent, ils crient. François, tu as raison : ils font des trous dans la page.

Les carottes sont cuites

Antoine Blondin : « Après des semaines de réflexion, de scrupules et d'enculages de mouches, j'ai commencé un nouveau roman… », *À mes prochains*.

Si j'avais employé dans mes rédactions ou dans mes devoirs de philo des expressions comme « enculages de mouches », « mon œil ! », « on n'est pas sorti de l'auberge », « c'est kif-kif » ou « les carottes sont cuites », mes copies se seraient ornées d'épais traits rouges et d'appréciations sévères. Pas convenable, trop familier, vulgaire. Ces locutions n'étaient pas considérées comme du bon français. Dans un dialogue, oui, pourquoi pas, mais jamais dans un texte littéraire, de réflexion ou d'analyse.

Je me barbais à la fac de droit de Lyon et j'envisageais de plus en plus sérieusement de me présenter au concours d'entrée du Centre de formation des journalistes. Je lisais d'abondance quotidiens et magazines, en particulier, à gauche *Les Lettres françaises*, à droite *Arts et Spectacles*, en passant par *Le Figaro littéraire* et *Les Nouvelles littéraires*, c'est-à-dire toute la presse hebdomadaire culturelle. Elle a disparu. Que Dieu ait son esprit !

Un jour de 1955, je lus dans *Arts* une phrase de Jacques Laurent qui m'étonna beaucoup : « Le roman à thèse est celui où les carottes sont cuites au départ. » Quoi ! dans un texte littéraire – très polémique, où Laurent reprochait à Sartre et à Beauvoir d'écrire des romans à thèse – il osait utiliser une expression de popote familiale. Il aurait pu dire que dans le roman à thèse l'écrivain, ses personnages et ses lecteurs savent dès le début du livre où ils vont, qu'il n'y aura pas de suspens, pas de surprise, que tout est joué à l'avance, que ce roman est une argumentation, une démonstration et non « un miroir qui se promène sur une grande route » (Stendhal).

C'est d'ailleurs ce que Jacques Laurent explique ensuite longuement. Mais, tapant fort d'entrée, il annonce que, avant même que le romancier à thèse ne se mette à ses fourneaux, ses carottes sont déjà cuites ! Introduire un légume dans une noble querelle littéraire, c'était de la bonne cuisine qui mettait les rieurs de son côté. J'applaudissais.

Pourquoi cet heureux effet obtenu par l'emploi d'une expression populaire m'avait-il été refusé au lycée ? Je commençais à découvrir que, dans bien d'autres domaines que la langue, les adultes ne s'embarrassaient pas d'utiliser ce qu'ils nous avaient proscrit. Nos fautes devenaient leurs astuces, nos interdits leurs privilèges.

Dès lors, je me promis, moi aussi, quand l'occasion s'en présenterait, d'employer un mot familier, argotique, ou une expression populaire dans le développement d'une phrase classique où ils surprendraient. À condition, bien sûr, que l'effet en soit clair, significatif, amusant.

Entre autres écrivains d'aujourd'hui, Régis Debray et Sylvain Tesson savent surprendre leurs lecteurs en glissant un mot ou une expression canaille dans une phrase de bon aloi.

Régis Debray, constatant que bien des chercheurs et des professeurs ne citent pas ses travaux tout en les utilisant et l'ont probablement déjà oublié : « Instants d'abattement. Pointes d'aigreur. Échappées sur l'après : rien. *A pissé dans un violon* (c'est moi qui souligne). Ces avant-goûts de néant, quiconque atteint les années vulnérables devra les soigner dare-dare… », *Un candide à sa fenêtre*, *Dégagement II*.

Napoléon abandonna la catastrophique retraite de Russie pour rentrer en France via la Pologne. Sylvain Tesson : « Mais le rythme d'enfer du retour ne lui laissa pas le temps "d'électriser les Polonais", lesquels, par surcroît, *se gelaient les miches*, ruinés par leur contribution à l'effort de guerre », *Bérézina*.

Le roi du carambolage sémantique est évidemment Céline. « Le lecteur s'attend à un mot, et moi je lui en colle un autre. C'est ça, le style. »

À propos de style et de carottes, relevons ce qu'en 1909 Marcel Proust écrivait à sa cuisinière : « Je voudrais que mon style soit aussi brillant, aussi clair, aussi solide que votre gelée, que mes idées soient aussi savoureuses que vos carottes et aussi nourrissantes et fraîches que votre viande. »

La tyrannie de l'actualité

Trois fois je me suis arrêté sur le mot « inactuel » parce que Pierre Hebey a écrit trois volumes sur son *Goût de l'inactuel*, faisant de cet adjectif un nom fort. Si fort qu'il me fait déplorer mon goût effréné de l'actualité. Un tropisme, une passion, une obsession. Devenir journaliste, c'est prononcer des vœux pour une vie tout entière tournée vers les nouveautés de l'heure. Quoi de neuf ? Que va-t-il se passer ? Les faits, les derniers développements, les rebondissements, les démentis, les témoignages, les bilans, les conclusions provisoires. Comment ne pas suivre avec une infatigable curiosité les feuilletons de toute nature que l'actualité nous propose ? Comment ne pas être accro aux *nouvelles* ?

En sorte que je n'ai pas su donner de place à l'inactuel, à l'intemporel, au libre vagabondage de ma curiosité. Je n'ai pas été disponible pour l'aventure anachronique. Soumis à la tyrannie de l'information, je me suis privé des plaisirs de partir ailleurs, corps ou esprit, sans souci de l'agenda et de l'horloge. J'en ai parfois ressenti le besoin, mais le métier me rappelait à l'ordre. L'addiction refermait son étreinte.

Parvenais-je quand même à m'échapper que, très vite, je me demandais ce qui se passait dans le monde et en France – comme si les événements ne pouvaient pas se priver de mon regard ! – et je succombais à la tentation de me renseigner sur-le-champ, dans une fiévreuse impatience.

Un soir que, par exception, je faisais une conférence, j'avais demandé à ma fiancée qui habitait Varsovie de m'envoyer par texto le score à la mi-temps d'un match de Coupe d'Europe de football. Score encourageant qui m'a dopé. Peut-être le public a-t-il perçu, à ce moment-là, dans ma voix et dans mes gestes, ce que les athlètes appellent « un second souffle ».

Les résultats sportifs ne sont pas les seuls à provoquer mon impatience. Il y a aussi les élections, et pas uniquement en France, les comptes publics du pays, les chiffres du chômage, les cotes de popularité, les sondages sur tout, l'essentiel et n'importe quoi, les chiffres de vente des livres, de la presse, le nombre d'entrées au cinéma, dans les grandes expositions, l'audience des radios et des télévisions, les records absurdes... Toutes les compétitions ou presque m'intéressent. J'échappe par bonheur à la fluctuation des cours de la Bourse ; et peu me chaut le prix de l'once d'or.

Si je calcule le nombre d'heures que j'ai consacrées, ma vie durant, chaque jour, à la lecture de la presse, à l'écoute des journaux, de la radio et de la télévision, si je les traduis, oh, non pas en semaines ni en mois, mais en années, comment ne pas être horrifié par ma dépendance à l'éphémère ?

Et combien de livres ai-je lus qui n'avaient d'autres mérites que d'être dans l'actualité de l'édition et de fournir de la matière à mes émissions ou à mes articles ? Sur des milliers de livres, combien, surmontant l'épreuve du temps, étaient-ils assez beaux ou novateurs pour échapper à l'oubli ? Combien de livres lus ont-ils accédé à l'argentier de la littérature, à l'empyrée de l'inactuel : la bibliothèque ?

Pierre Hebey avance qu'on ne doit pas craindre de briser une conversation à table sur les nouvelles du jour en y introduisant à brûle-pourpoint Toulet ou Mérimée. Ne risque-t-on pas alors de passer pour un cuistre ?

Le goût de l'inactuel demande de la distance, un peu d'égoïsme. Surtout du temps. Mes années de bavardage littéraire à la télévision étant derrière moi, je me promettais de lire ou de relire Platon, Virgile, Rousseau, Tocqueville, Huysmans, Jerome K. Jerome, Evelyn Waugh, Toulet, Aragon, etc. Mais j'ai embrayé avec une chronique sur les livres au *Journal du dimanche*, aussitôt suivie d'une élection à l'académie Goncourt. J'étais de nouveau dans l'obligation de coller à l'actualité de la librairie, sujétion aggravée par ma curiosité de concierge pour ce qui se cache sous les couvertures.

Il m'arrive cependant de prendre dans la Pléiade l'un des treize volumes de la *Correspondance* de Voltaire ; une pièce de Molière ; un pamphlet de Paul-Louis Courier ; les poèmes de Cendrars, et de lire au hasard, assis sur le bras d'un fauteuil, pendant cinq ou dix minutes. Ce qui m'enchante, c'est d'y trouver des pages ou quelques lignes qui, bien loin d'être datées, forcloses, semblent évoquer des personnages d'aujourd'hui, avec leurs ridicules ou leurs vertus, ou bien interrogent des idées toujours en circulation, ou encore relatent des faits dont nous connaissons les pareils. Dans l'inactuel je recherche inconsciemment l'actualité. Je suis incorrigible.

Cher petit

De Simone de Beauvoir à Jean-Paul Sartre : «Je vous aimais tant dans ce petit train hier ; vous savez, vous êtes si gentil, cher petit être, vous êtes bien plus qu'assez gentil, vous êtes le plus gentil des petits et je suis tout heureuse avec vous », *Lettres à Sartre*, 13 juillet 1939.

On n'a pas tort de dire que l'amour rend un peu bébête même les personnes les plus intelligentes du monde. Il est en même temps sympathique de constater que Simone de Beauvoir, amoureuse, pouvait se laisser aller à des nunucheries semblables aux nôtres. Ça rassure. Ce qui frappe et étonne à la lecture des 321 longues lettres qu'elle a écrites à Sartre de 1930 à 1963, c'est, entre autres, l'emploi immodéré de l'adjectif « petit » : « Tout cher petit être… À bientôt, mon doux petit mari… J'embrasse tout votre cher petit visage… Au revoir, petit être bien-aimé… Je vous embrasse, mon doux petit… Je vous embrasse tout passionnément, tout petit charme, petit tout charme petit charme tout… Ma chère petite âme… Je vous aime, mon petit… »

Sartre n'étant pas grand, «votre charmante Castor» –

ainsi signait-elle ses lettres – ne se moquait pas de sa taille. Ses « petit », tous très affectueux, s'inscrivaient sur le même registre sentimental que les « petit cœur », « petit canard », « petit poussin », « petit bandit », etc., du populaire.

Ce « petit » amoureux et intime est-il utilisé pour des hommes et des femmes de haute futaie ? Yvonne de Gaulle a-t-elle appelé son grand Charles « mon petit lieutenant » ou « mon petit oiseau » ? Patrick Modiano a-t-il reçu dans sa jeunesse des « mon petit chat » ou des « mon petit corsaire » ? Je ne le crois pas. À partir de quelle taille le langage amoureux renonce-t-il au cher « petit » ?

Avec mes 170 centimètres – 1,69 mètre sur mon livret militaire, j'étais fou de rage –, j'ai eu droit à ma ration de « petit ». Mon préféré : « petit nuage ». Il est en effet sage de mêler la météorologie à l'amour.

La double faute d'Ezra Pound

Avenue Raymond-Poincaré, tout au fond de l'appartement du général Hallier, père de Jean-Edern Hallier, se dressait une grande ombre à barbe blanche devant laquelle des intellectuels et des journalistes venaient s'incliner. On échangeait quelques mots en anglais, parfois en français, puis on se retirait souvent en reculant, comme face à la reine d'Angleterre. Ce spectre impressionnant, cette icône fragile et vieillie, c'était le poète américain Ezra Pound.

Il puait le soufre. Pendant la Deuxième Guerre mondiale, à la radio italienne il avait fait l'éloge du fascisme tandis qu'il rendait les capitalistes juifs new-yorkais responsables du déclenchement des fureurs qui embrasaient le monde. Pour éviter de le juger, il fut décidé qu'il était fou. Les Américains l'enfermèrent pendant treize ans dans un hôpital psychiatrique avant de le rendre à l'Italie.

En 1965, Ezra Pound était à Paris pour la sortie d'un *Cahier de l'Herne* qui lui était consacré. Son auteur, Dominique de Roux, passant outre à l'indignité dont l'homme était frappé, admirait sincèrement la poésie épique et savante de ses *Cantos* ainsi que la phénoménale culture de l'écrivain. Il n'était pas mécontent non plus, aidé de Jean-Edern Hallier, d'organiser en son honneur une petite fête qui, vingt ans après la fin de la guerre, rallumait des feux mal éteints.

C'est grâce à un autre écrivain américain, Frederic Prokosch, que m'est revenu en mémoire ce coquetèle bizarre au cours duquel j'avais longuement parlé avec le général André Hallier, que son fils interrompait souvent pour lui dire son affection et sa fierté de porter son nom.

Invité à *Apostrophes* en 1984 pour ses mémoires *Voix dans la nuit*, Frederic Prokosch était de ces écrivains américains qui parlaient toutes les langues, en particulier le français, et qui avaient fait du cosmopolitisme leur oxygène. En 1935, *Les Asiatiques*, son premier roman, lui apporta une gloire immédiate et universelle. Lit-on encore cette œuvre célébrée par André Gide, Thomas Mann, Albert Camus ? Frederic Prokosch vivait dans le sud de la France d'où je le fis venir pour une conversation qui se révéla aussi pétillante et savoureuse que ses mémoires. Quel écrivain de l'entre-deux-guerres n'avait-il pas connu ? James Joyce, Thomas Mann, Virginia Woolf, Colette, Vladimir Nabokov (ils avaient une passion commune pour les papillons), Alberto Moravia, Somerset Maugham, etc. Et Ezra Pound.

Frederic Prokosch avait rencontré Ezra Pound à Rapallo, en 1937 ou 38. « Il me traita avec une jovialité rustaude, railleuse, écrit-il, et me demanda de jouer en double, le lendemain après-midi. » Cette partie de tennis qui opposa les deux écrivains américains à un Anglais et à « une maigre dame italienne appelée la Signorina Piaggio » mériterait de figurer dans toutes les anthologies de littérature sportive ou mondaine. En voici le récit :

« La redoutable Signorina écrasa un lob d'Ezra Pound.

– Merde ! s'écria Pound. Je n'ai pas lancé la foutue balle assez haut.

Et dans un chuchotement mauvais :

– … Quelle harpie, cette bonne femme !

Il commit une double faute au service, puis lança une balle au filet.

– *Zéro quarante* * ! roucoula la Signorina, et Ezra Pound réussit un service magistral.

– Ça fera les pieds à cette connasse efflanquée, ricana-t-il triomphalement.

La Signorina envoya droit à Ezra un puissant revers. Il poussa un glapissement en se protégeant l'abdomen avec sa raquette.

– Jeu et set ! cria la Signorina en lançant en l'air sa propre raquette.

Ezra roulait des yeux furibonds.

– Elle essaie de me castrer ! C'est une louve déguisée en cigogne !

Puis, en un murmure confidentiel :

– … Envie du pénis. Absolument révoltant. »

---

* En français dans le texte.

Je n'avais évidemment pas reconnu le solennel spectre à barbe blanche dans ce joueur de tennis grossier, hilarant, que sa misogynie n'avait pas aidé à gagner la partie. Entre-temps, il est vrai, étaient passés la guerre, la prison psychiatrique, le déshonneur, la solitude orgueilleuse…

Frederic Prokosch ne fait aucun commentaire sur la suite de l'existence d'Ezra Pound. Il se contente de rapporter ses propos déjà hostiles aux États-Unis, accusés de médiocrité, de corruption et d'hypocrisie. Il revient aussi sur sa manière de jouer au tennis qu'il compare à sa poésie des *Cantos* : « Un tourbillon de rage, percé par des instants de splendeur à moitié folle, et moucheté d'une certaine incohérence flamboyante. »

Un rôle muet

Romain Gary raconte que sa mère, qui n'était pas une grande comédienne, jouait dans une pièce une vieille femme soutenue par deux hommes. Elle fuyait son village en feu. Sans un mot, elle traversait la scène. Traînant les pieds, « elle s'accrochait, elle marchait trop lentement, il fallait la pousser hors de la scène parce que c'était son seul rôle et elle y tenait », *Le Sens de ma vie*.

En 2005, Olivier Minne a eu l'idée amusante de demander à ses camarades animateurs et journalistes de France 2 de se joindre à lui pour jouer *Un fil à la patte*, de Feydeau. Mise en scène par Francis Perrin, il n'y eut qu'une seule représentation au Théâtre des Nouveautés, mais filmée et diffusée avec succès sur la chaîne.

J'avais accepté d'en être à condition d'y avoir un rôle muet. Ma rétive mémoire aurait peut-être éprouvé des difficultés à retenir un texte et à le restituer au public sans hésitations. Au troisième acte, scène 4, il y a un rôle aussi bref et muet que celui de la mère de Romain Gary. Sur le palier du deuxième étage d'une maison bourgeoise, où claquent les portes et les répliques, « un monsieur, écrit Feydeau, apparaît, salue le général en passant et gagne l'étage supérieur. Le général rend le salut ». Avec son costume clinquant d'officier sud-américain, sa poitrine constellée de médailles, ce général Irrigua a de quoi étonner un habitant de l'immeuble. Rentrant chez lui, il ne s'attend pas à rencontrer sur le palier du deuxième étage un personnage inconnu dont la présence est d'autant plus insolite que sa mise est extravagante. Je devais en passant, sans mot dire, manifester ma surprise, puis saluer d'un mouvement de tête. Tout dans le regard, le jeu de physionomie. Rôle admirable. Un sommet.

Le soir de la représentation, tandis que je piaffais en coulisses – « ma scène » se situe presque au terme de la pièce –, je saisis soudain que mon silence allait beaucoup étonner le public. D'habitude, sitôt que ma tête s'encadrait dans les postes de télévision, je parlais. J'étais classé bavard. On allait me découvrir mutique, à contre-emploi. Quelle chance ! J'étais si content de paraître ce que je n'étais pas que, pour faire durer le plaisir, j'ai joué plus lentement que lors des répétitions. Je me suis arrêté plus longuement devant le général, j'ai monté paresseusement l'escalier et, avant de disparaître des yeux des spectateurs braqués sur moi, je me suis arrêté et retourné pour jeter un dernier regard étonné et ironique sur le général Irrigua.

Je n'avais pu ajouter ces quelques secondes à mon rôle que parce que je n'étais pas accompagné, comme la mère de Romain Gary, par un ou deux figurants pressés d'en finir. Ils m'auraient poussé dans l'escalier pour que je monte plus vite et m'auraient peut-être même pincé les fesses.

Mes pauvres morts

Nicole Lapierre : « Dans les sociétés traditionnelles, les morts ne sont pas loin des vivants. Je le dis à mes amis qui viennent de perdre un proche : une fois passé le chagrin, il y a une sorte de proximité douce avec les morts », dans *Le Journal du dimanche* lors de la sortie de *Sauve qui peut la vie*.

Cette « proximité douce » avec les morts, autrement dit sereine, confiante, je ne l'ai quasiment jamais ressentie. Elle me manque. Son absence m'inquiète. Je ne puis en rendre responsables mes pauvres morts. N'étant nulle part et partout, ils sont là où je veux bien leur donner une présence, marchant à côté de moi dans la rue, assis dans le métro ou dans le train, sur la terrasse de la maison de famille, leur tête sur mon oreiller ou – ce ne sont pas toujours eux qui se déplacent – dans le cimetière où leurs corps reposent. De leur vivant, ils n'étaient pas aussi disponibles. Il ne tient qu'à moi de les rendre plus proches.

Si je n'y parviens guère ou, plutôt, soyons franc, si je le fais rarement, c'est parce que ce ne sera pas dans une douce proximité. Il me semble que je leur fournis plus de motifs de me blâmer que de raisons de me complimenter. Je leur prête la faculté de me suivre jour et nuit, d'être les témoins de tous mes actes, de lire mes pensées, de peser mes sentiments. Il faudrait que je sois bien sûr de mes mérites pour ne pas imaginer que, quelles que soient la pérennité de leur affection, la force de leur amour, ils n'aient pas de reproches à me faire. Leur bienveillance à mon égard n'est ni sourde ni aveugle. Ils sont restés mon père et ma mère. Non qu'ils aient été plus sévères que d'autres, mais l'adulte que je suis depuis si longtemps est plus tortueux que l'enfant, plus toxique, moins pardonnable.

Fidèles à leurs principes jusqu'à leur dernier souffle, pourquoi depuis en auraient-ils changé ? Les miens ont évolué avec le temps. Il est peu probable, même avec l'indulgence du ciel, qu'ils n'en soient pas chagrins et dépités.

Avec mes morts, j'ai une proximité tendre, mais inquiète, crispée. Mes morts sont dans ma conscience.

Un peu de snobisme

Marcel Proust : « Sa haine des snobs découlait de son snobisme, mais faisait croire aux naïfs, c'est-à-dire à tout le monde, qu'il en était exempt », *Le Côté de Guermantes*.

Ce n'est pas parce qu'il portait un nœud papillon que Jean-Jacques Brochier – qui dirigea pendant trente-cinq ans *Le Magazine littéraire* – était considéré comme un snob par ses camarades lyonnais. Dans la classe de philo du lycée Ampère, ils étaient seulement deux élèves à avoir lu Proust et Sartre. Ils en avaient lu suffisamment, en particulier *L'Être et le Néant*, pour en parler savamment avec le professeur. Comme les autres, j'écoutais bouche bée. Admiratif. Surtout jaloux. Nous nous vengions bêtement en les traitant de snobs. À nos yeux, Jean-Jacques Brochier le paraissait un peu plus que l'autre à cause de son nœud papillon.

Grâce à une crise de rhumatisme articulaire infectieux, puis à une appendicite, j'ai pu me lancer à la recherche du temps perdu, celui de Proust et le mien. C'était à mon tour de paraître snob à mes visiteurs. J'y trouvais de l'agrément et de la fierté. J'étais enfin passé de l'autre côté, dans le camp de ceux qui avaient lu Proust et qui, après un temps d'apprivoisement à son style, avaient jubilé de fréquenter une société aussi raffinée, complexe, cultivée, bavarde, amusante et snob.

C'est d'ailleurs l'abondance et le snobisme de ses « duchesses », ainsi que l'image de Proust, chroniqueur mondain au *Figaro*, qui avaient conduit André Gide à conseiller à Gaston Gallimard de ne pas éditer *Du côté de chez Swann*. Conscient de son erreur, que dis-je, de son crime, il enverra plus tard une lettre de repentance à sa victime triomphante.

Je n'ai jamais pu me défaire de cette idée stupide que Proust, quels que soient son génie et son universalité, nantit qui le cite ou s'y réfère d'une image de snob. Et pour ne pas moi-même me la coller, j'ai renoncé à des rapprochements avec Swann, Odette, Charlus, les Guermantes, madame Verdurin ou Céleste Albaret qui, parfois, me venaient sous la plume. Il y a probablement là un « complexe de classe » : issu d'un milieu tellement éloigné de la société proustienne, j'ai du mal à en paraître, non le familier, réservons cet honneur aux proustiens, mais le simple visiteur. Ce décalage social de lecteur à écrivain, je ne le ressens qu'avec Proust. Serait-ce ce qu'on pourrait appeler du snobisme à l'envers ?

Une fille bandante

Jean Echenoz : « La fille, quand même, s'est risqué Christian, on dira ce qu'on voudra, le fait est qu'elle était bandante », *Envoyée spéciale*.

Pourquoi, les quelques fois où j'aurais pu employer l'adjectif *bandante* je ne l'ai pas fait, biffant le mot et lui préférant *excitante*, *désirable*, *sexy* ? Ce sont des mots qui en disent moins. Plus vagues, plus hypocrites. Alors que *bandante* signifie précisément que la fille provoque l'excitation sexuelle de celui qui la regarde. C'est un adjectif biologique, clinique, parfaitement adapté à la situation.

Bander et *bandant, ante* sont qualifiés de familiers par les dictionnaires Robert. Familiers, oui, heureusement, car la famille naît, s'agrandit, de l'homme qui bande. Sans bandaison, l'espèce humaine se serait éteinte. *Bandaison* ne figure que dans le Grand Robert. Normal que le Grand Robert soit plus viril, plus audacieux que le Petit Robert. Mais *bandaison* n'est pas très joli. On pense tout de suite à une bandaison de crémaillère, qui serait une fête orgiaque dans un nouveau domicile.

Le Petit Larousse n'est pas porté sur la chose. Plutôt bégueule même. Il ignore l'adjectif *bandant, ante* et qualifie *bander** de vulgaire. Il préfère *être en érection*, expression légitime, en effet, et plus convenable, mais de signification restreinte. *Être en érection* n'est qu'un état de fait, un constat, alors que *bander* signifie à la fois l'action et son résultat. Il y a dans le verbe une force, une impatience, un orgueil absents de l'expression, calme et tranquille.

Quant à l'adjectif *ithyphallique*, « qui présente un pénis en érection », il est didactique et pas très bandant.

« Plus n'en ai le croupion chaud », écrit François Villon à propos d'une femme dont il n'était plus amoureux. Plus bandante, à ses yeux. Le poète a trouvé une jolie et amusante formulation. Je m'en inspire, page 65, quand j'écris que, pensionnaire dans un collège religieux, une femme en robe de soirée sur une affiche, les épaules nues, « me chauffait le croupion pendant toute la soirée ». J'aurais pu écrire aussi qu'à l'époque et plus tard je trouvais très bandantes Martine Carol dans *Lucrèce Borgia*, Françoise Arnoul dans *L'Épave*, Jeanne Moreau dans *La Reine Margot* et Brigitte Bardot dans *Et Dieu créa la femme*.

---

* J'ai employé le verbe bander dans *Les Mots de ma vie*.

Rendez-vous manqué avec Françoise Sagan

J'avais lu dans une interview, genre dans lequel elle excellait par sa franchise, sa clairvoyance et le tranchant de ses formules, que Françoise Sagan avait passé une partie de la guerre à Lyon. Mon père soldat, puis prisonnier, ma mère avait quitté Lyon pour un modeste appartement dans le Beaujolais où nous avons attendu le retour de la paix et des hommes. Cela m'aurait amusé que Françoise Sagan et moi – nous avions le même âge – nous confrontions nos souvenirs d'enfants de ces années-là.

J'avais là un bon prétexte pour lui proposer de déjeuner ou de dîner ensemble, ou de prendre un verre dans un bar de la rive gauche. Onze fois elle est venue s'asseoir sur le plateau de mes émissions, onze fois je n'ai pas osé passer du professionnel au privé, craignant un refus ou une réponse dilatoire ou embarrassée.

Plus le temps passait, plus j'étais convaincu que Françoise Sagan ne pouvait que me mésestimer, voire me détester. Elle avait la télévision en horreur. C'était selon elle « un fléau lamentable ». Même les émissions littéraires étaient à ses yeux de peu d'intérêt. Y paraître était pour elle une corvée.

Mais il fallait bien y aller pour activer la vente de ses romans et pour faire plaisir à ses éditeurs. *Apostrophes* était inévitable. Quelle barbe ! À l'approche de la sortie de chacun de ses livres, j'étais son trop prévisible pensum et son incontournable raseur.

Et puis, me disais-je, à peine serons-nous installés dans un bar qu'elle commandera un whisky. Je serai bien obligé de lui avouer que je n'aime pas cet alcool. Bon début ! Ensuite, ça l'intéressera vraiment de comparer nos souvenirs rhône-alpins d'enfants ballottés par la guerre ? Bonjour, tristesse ! Françoise Sagan n'est pas du genre anciens combattants. Elle apprécie chez les hommes la gaieté, l'humour, le désintéressement, le risque, le rejet des habitudes, la liberté, le goût de la nuit. Comment montrerait-elle de la curiosité pour un fonctionnaire de la télévision qui, tous les vendredis soir, arrive à la même heure, dans le même décor, porteur d'une petite valise qui contient les livres qu'il a lus pendant la semaine par obligation professionnelle ? Sagan est une femme charmante, polie. Elle masquera son ennui, mais n'en pensera pas moins.

Non, nous n'avions guère d'affinités, et si je regrette aujourd'hui d'avoir manqué d'audace, je suis convaincu que nous nous serions séparés mécontents l'un de l'autre, à tout le moins déçus*.

---

* Ce n'est pas le sentiment de son amie Florence Malraux. Elle m'a dit récemment que Sagan regardait souvent *Apostrophes* et qu'elle appréciait l'émission. De ses déclarations à la presse je n'avais pas ressenti cette impression.

Les entretiens de Françoise Sagan ayant été rassemblés en volume (*Je ne renie rien*), j'ai retrouvé ses souvenirs de la guerre. Elle évoque surtout sa mère qui avait « un côté Régence », assez décalé. Réfugiée à Saint-Marcellin, dans le Vercors, la famille Quoirez avait été prise pour cible par un avion allemand. Quittant l'étang où ils se baignaient, ils se précipitèrent vers une prairie et des arbres pour se mettre à l'abri. Les balles faisaient sauter l'herbe autour d'eux. Cela n'impressionnait pas Mme Quoirez. Elle criait à sa fille Suzanne : « Je t'en prie, habille-toi. Je t'en prie, habille-toi. Tu ne vas tout de même pas te promener comme ça ! » Pendant l'exode, elle avait exigé de revenir de Cajarc, dans le Lot, pour récupérer à Paris ses chapeaux oubliés dans la précipitation du départ.

À Lyon, pendant les bombardements des Alliés, elle n'avait accepté qu'une fois de descendre à la cave, jugeant que pour les enfants c'était quand même mieux. « Quand on est remontés, raconte Françoise Sagan, il y avait une souris dans la cuisine. Ma mère s'est évanouie. Elle a une peur bleue des souris. »

Ma grand-mère paternelle également. Cette femme qui avait récupéré après la Première Guerre mondiale un mari gazé, qui avait élevé quatre enfants et qui tenait un café après avoir longtemps travaillé dans les champs, cette femme dure au mal et à la vie, je l'ai vue, à cause du passage furtif d'une minuscule souris, debout sur l'une des tables de la salle du café. Elle serrait le bas de son tablier pour empêcher une armée de petites rongeuses de se lancer à l'assaut de ses jambes.

Les défaillances de la mémoire

Vassilis Alexakis : « On peut désormais me raconter n'importe quoi sur mon passé puisque je ne me souviens plus de rien... Je ne suis jamais allé nulle part », *La Clarinette*.

Je ne me souviens pas non plus d'être allé ici ou là quoiqu'on m'assure, avec une grande persuasion, que, mais si, j'y étais. Preuve en est que j'ai fait telle chose. Le souvenir de ce qui m'est rapporté me revient en effet en mémoire, mais sans lien avec le lieu où cela s'est passé. C'était à Brest, tu en es certain ? À Rabat ? À Hambourg ? Ces villes ne sont pourtant pas inscrites dans ma géographie personnelle.

Je suis sûr d'être allé à Tolède grâce aux tableaux du Greco ; à Pampelune à cause de la feria et de ses arènes sanglantes ; à Glasgow parce que j'y ai assisté, le 12 mai 1976, à la finale de la Coupe d'Europe des clubs champions, Saint-Étienne, brillant, pas veinard, contre le Bayern Munich, vainqueur. Dans ces trois villes le spectacle était si fort qu'il s'est logé à tout jamais dans un coin de ma mémoire. Il est impossible de le déconnecter du nom de la cité où, à mes yeux, il faisait événement. Mais, si je me souviens bien de *L'Enterre-*

ment du comte d'Orgaz, du troisième toro, si brave (scandale ! le président a refusé de lui accorder la grâce que réclamait la foule), des têtes de Bathenay et de Santini sur la barre transversale du but allemand, je n'ai gardé aucune image de Tolède, Pampelune et Glasgow. Rien, comme si je n'y étais jamais allé. Villes englouties dans un trou noir comme Ys dans l'océan.

Aggravons mon cas : quelque effort que je fasse, je ne revois pas l'église, ni les arènes, ni le stade. Le lieu même du spectacle m'échappe. Flou, décadré, déconstruit. Alors que je distingue parfaitement le jeune garçon qui, au premier plan, présente le miracle de la mise au tombeau du comte d'Orgaz ; j'assiste de nouveau autant de fois que je le veux aux coups de cornes qui envoient à l'hôpital, d'abord un picador, puis le torero ; j'entends ma plainte mêlée à celle des supporteurs stéphanois quand, après avoir frappé le bois, le ballon, par deux fois, revient en jeu.

Cette incapacité à me remémorer les lieux, à fixer le décor, m'a dissuadé d'écrire des romans. *L'Amour en vogue* est une sympathique erreur de jeunesse. C'est une carte postale sentimentale que j'envoyais à la ville de Lyon au moment de la quitter. Je me souviens de mes difficultés à décrire des quartiers, des rues ou des ponts que j'avais sous les yeux ou que ma mémoire toute fraîche, toute naïve, arpentait dans ma chambre, à Paris.

Les chambres, curieusement, je ne les ai pas oubliées alors que le reste des appartements ou les hôtels sont plongés dans le brouillard. Chambres d'enfant, d'adolescent, d'étudiant, de mari, d'amant, de voyageur, de touriste. C'est pourtant dans cette pièce qu'on reste le plus longtemps les yeux fermés. Mais c'est aussi la pièce où on est vraiment seul avec ses joies et ses chagrins, ses ressassements et ses chimères ; et, si l'on y est à deux, c'est le corps tout entier qui en garde la mémoire.

Je dois posséder quelque part dans ma tête une puissante gomme qui efface ce qui entoure la chambre, jusqu'à la ville où elle se situe. C'est difficile d'avouer à une femme que je me rappelle très bien le lit où nous avons dormi ensemble, mais ni le nom de l'hôtel, ni même le nom de la ville. Il en est de même avec les tableaux. Si je les convoque, ils m'apparaissent dans la clarté que diffuse l'admiration que je leur porte, mais je ne vois pas le musée, ni ne sais où il se trouve. Cette Vierge à l'Enfant, sculpture médiévale en albâtre qui m'avait cloué sur place, où est-elle ? À Bilbao ? À Anvers ? À Gand ? À Vienne ? La Vierge n'est ni confiante ni fière ni heureuse. Elle souffre. Ses paupières se sont refermées sur sa douleur. On lui a coupé les doigts d'une main et le petit Jésus n'a plus de tête. Faut-il voir dans le visage supplicié de Marie l'anticipation par l'artiste des dommages que son œuvre subira ou la prescience maternelle du destin tragique de son enfant ?

Et ce célèbre autoportrait de Picasso – gros nez, yeux énormes, les cheveux très noirs sur le front, une sorte de caricature pour bande dessinée –, ce visage impressionnant avec qui, un jour, j'ai longuement dialogué, où est-il ? À Paris ? À Barcelone ? À New York ? À Berlin ? Avec Picasso, la réponse est facile à trouver. Cet autoportrait de 1907 est exposé à Prague.

Un jour, dans le train, un homme m'aborde en me disant que nous étions ensemble au jubilé de Michel Platini. Je dois faire un effort pour me rappeler que j'ai participé à cette fête en l'honneur du meilleur joueur de football français.

« Rappelez-vous, vous étiez sur la pelouse, avec un micro.

– Ah, oui, bien sûr, je me revois sur la pelouse de Geoffroy-Guichard…

– Mais non, c'était au stade Marcel-Picot, à Nancy. »

Le nez dans l'assiette

Une gravure représentait un gros homme à lavallière, la tête dans son assiette, la face figée dans les pâtes et la sauce qui avaient débordé sous le choc. Il était soudain mort de gloutonnerie. Voilà ce qui risque de vous arriver, nous disait l'éducation chrétienne – aujourd'hui relayée par l'éducation laïque et diététicienne –, si vous cédez au péché de gourmandise. Vous finirez de cette manière brutale et ignominieuse si vous ne savez pas juguler la boulimie qui augmente souvent avec l'âge et le niveau de vie.

Longtemps, il m'a semblé que cette mort n'est pas aussi exécrable que les moralistes le disent. Elle a le mérite d'être rapide, sans douleur, et de se manifester dans un moment de vitalité et de plaisir. La mort à l'assiette comme il y a le service à l'assiette. Le cœur a lâché l'estomac, ce voisin, ce gouffre. On ne remettra pas le couvert. Fin de toute faim.

Réflexion faite, c'est quand même une mort trompeuse, cachée sous l'appétit de vivre. On mange pour reprendre du tonus, pour recharger la machine, et celle-ci s'arrête traîtreusement, alors qu'on la croyait comme d'habitude occupée à se goberger et à se fortifier. C'est aussi une mort peu convenable, sale, au mépris des manières de table. Imagine-t-on la stupeur du commensal ou de l'invitée, son effroi, sa gêne, devant son vis-à-vis dont la tête, sans un cri, plonge soudain dans son assiette et n'en bouge plus ? Le corps avachi, le visage barbouillé, les cheveux souillés... Non, ce n'est pas une belle mort, même pour un bouffeur, même et surtout pour un gastronome, parce qu'elle est humiliante.

Michel Crépu emploie et souligne l'adjectif *humiliant* : « Cette sorte de caprice fabuleux qui a jeté mon père la tête dans son potage. Qui m'en fournira le pourquoi et le comment ? Bon Dieu, est-ce que mon père méritait de se retrouver d'un seul coup avec une tête de mandrill ? Est-ce que je ne trouve pas cela (...) spécialement *humiliant* ? » *Un jour*.

Le père de Michel Crépu n'est pas mort dans son assiette, mais un AVC foudroyant lui a abîmé le visage et la parole. Après cela, comment s'asseoir à table, trois fois par jour, comme si de rien n'était ? Comment ne pas avoir peur de remettre ça ?

Michel Crépu rapporte que son père a piqué du nez dans un potage. En était-ce vraiment un ou a-t-il employé le mot potage parce que cela ajoute à l'humiliation et à la détresse, l'expression « être dans le potage » signifiant être dans la confusion ?

Dans le cas d'une mort brutale à table, mieux vaut quand même que la chronique retienne le nom d'un plat de prestige. Certes, il n'y a pas de honte à rendre son âme au-dessus d'une soupe de légumes, d'un bœuf mode ou d'une crème brûlée. Mais, avec un peu de chance, on préférera terminer l'aventure sur une poularde demi-deuil, un lièvre à la royale ou la purée de Robuchon. Question de standing posthume.

Heureux Me Montilhe, avocat dijonnais, propriétaire d'un beau domaine de la Côte de Nuits ! Il acheva soudain sa vie le nez dans un verre de l'un de ses plus grands vins, un Pommard Rugiens 59.

Non !

Henri Michaux : « C'est encore une fois *non* (...). Je cherche une secrétaire qui sache pour moi de quarante à cinquante façons écrire *non* », *Donc c'est non*, lettres présentées par Jean-Luc Outers.

Alors directeur du *Figaro*, Jean d'Ormesson m'avait convoqué dans le splendide bureau ovale de l'ancien hôtel particulier du parfumeur Coty, devenu siège du quotidien, au rond-point des Champs-Élysées.

« Je ne sais pas dire non, m'a-t-il confessé. Je m'aperçois qu'il est difficile de diriger un journal sans être souvent obligé de dire non. »

Jean d'Ormesson venait justement de me dire non. Propriétaire du *Figaro*, Jean Prouvost (quatre-vingt-huit ans) avait demandé que je passe le voir à *Paris Match*. Ce rendez-vous m'intriguait. J'avais été l'un des organisateurs de la grève du journal de 1969. Depuis nos « barricades » et d'âpres négociations, quatre ans auparavant, je ne l'avais plus revu. Il me dit d'emblée que tous ces différends appartenaient au passé et que lui était hardiment tourné vers l'avenir. Preuve en était qu'il allait bientôt nommer Jean d'Ormesson directeur du *Figaro*. Il lui avait suggéré, entre autres réformes, de me confier la rédaction en chef des services culturels du quotidien. Le nouvel académicien avait jugé l'idée excellente, ce qu'il me confirma au cours de la visite que je lui fis dans son bureau de l'Unesco.

Mais, sitôt dans son bureau directorial, Jean d'Ormesson s'aperçut que les chambardements sont plus faciles à imaginer de loin qu'à réaliser de près. Il en parle dans son livre de souvenirs *Je dirai malgré tout que cette vie fut belle* : « Bernard Pivot était déjà une figure du *Figaro littéraire*. Conscient de ses capacités, qui étaient grandes, et soutenu par Jean Prouvost, il souhaitait obtenir tout un secteur qui ne comprenait pas seulement la littérature, mais les spectacles, les loisirs et le sport. Bref, tout un pan considérable du journal, sauf la politique et l'économie. Les coups de téléphone et les messages – venus parfois de très haut – pleuvaient en sa faveur et aussi contre lui. Je dus me résigner à contrecœur à priver le journal de sa collaboration. Je le déplore encore aujourd'hui avec sincérité. »

Non, je n'avais rien souhaité, ni rien demandé. J'avais été le premier surpris des responsabilités que Prouvost et d'Ormesson avaient décidé de me confier et que j'avais un peu légèrement acceptées. Il n'y avait pas le sport. Que la culture, mais toute la culture. André Malraux et Jacques de Lacretelle, de l'Académie française, bombardaient de coups de fil le nouveau directeur pour défendre leurs obligés dans la place et pour s'étonner qu'on pût faire confiance à un journaliste ayant aussi peu l'esprit posé du *Figaro*. C'est à eux que Jean d'Ormesson ne savait pas dire non.

Il était visiblement embêté de ne pouvoir tenir la promesse qu'il m'avait faite avec imprudence et de revenir sur un engagement pris avec le propriétaire dans l'euphorie de sa nomination. Beaucoup de gens dans l'édition et les galeries d'art étaient au courant de mon imminente promotion. Elle n'aurait pas lieu. J'étais ridicule. Je n'avais plus qu'à quitter le journal. Ce que sincèrement Jean d'Ormesson voulait éviter. Nous ne nous connaissions pas, sinon, pour me retenir, il ne m'aurait pas proposé le titre de rédacteur en chef avec autorité sur le tourisme, la météorologie, la gastronomie, la philatélie et les rubriques de jeux. J'ai décliné avec le sourire et lui ai demandé mes indemnités de départ. Il a refusé, peut-être pour me décourager de prendre la porte, sûrement parce que, démissionnaire et non licencié, je n'y avais pas droit. Il n'allait pas commencer son mandat de directeur du *Figaro* en transgressant la loi ! J'ai demandé l'arbitrage de Jean Prouvost. Après tout, c'était son argent. Étant au journal depuis quinze ans, j'ai reçu un joli chèque.

Avec cet argent, ainsi que le rapporte Jean d'Ormesson dans son livre de souvenirs, j'ai fait construire une piscine dans ma propriété du Beaujolais. « Il se vengea de moi de la façon la plus élégante : il donna mon nom à sa piscine avec une amicale ironie… » Il n'ajoute pas ce qu'il déclara avec humour au journaliste qui l'avait informé de mon initiative : « J'espérais que, peut-être, après ma mort, un collège ou un lycée porterait mon nom, je n'imaginais pas que ce serait une piscine de mon vivant. »

Si j'étais resté au *Figaro*, je n'aurais pas fait la même carrière à la télévision. Je dois beaucoup à Jean d'Ormesson. Béni soit son non !

En cale à Hambourg

Le calembour, « cette fiente de l'esprit qui vole », dit l'étudiant Tholomyès dans *Les Misérables*. Citation qu'on retrouve souvent sous la plume des ennemis des jeux de mots. Il en est une autre moins connue que rapporte Dominique Noguez dans *La Véritable Origine des plus beaux aphorismes*, mais qui est à décharge. Dans *La Chartreuse de Parme*, le comte Mosca considère qu'en engageant un joyeux cuisinier français qui fait des calembours, il ne craindra plus d'être empoisonné. « Le calembour est incompatible avec l'assassinat », écrit Stendhal. Dominique Noguez a raison de mettre en doute cette affirmation, l'humour, surtout s'il est noir, n'étant pas « un frein à la cruauté ».

Pendant mes études à Paris, j'ai connu un jeune homme si doué pour trafiquer les mots que sans cesse il nous calembourait le mou. Il produisait tant de jeux de mots que sa conversation en devenait agaçante. Nous devions parfois nous arrêter pour bien saisir les plus approximatifs, qui sont souvent les plus drôles. Jean-Paul Grousset poursuivra sa talentueuse et coupable industrie au *Canard enchaîné*, en particulier dans la critique de cinéma. Il fera paraître avec succès un recueil de calembours intitulé *Si t'es gai, ris donc !* Le fameux « Chassez le naturiste, il revient au bungalow » est de lui.

Sans être un spécialiste, il m'arrive de glisser un calembour dans un article ou un titre. Je ne le cherche pas, il surgit comme un clown au nez rouge. À mon insu, quelques neurones facétieux, jugeant que je suis trop sérieux, s'amusent à brouiller des lettres et des sons, et me suggèrent un calembour qu'avec indulgence je juge amusant.

Mais est-il nouveau ?

Jeune journaliste au *Figaro littéraire*, je devais écrire dans un article qu'un couple, à un certain moment, faisait l'amour. L'expression « faire l'amour » passait en ce temps-là pour osée. Baiser, n'en parlons pas ! Forniquer, non plus. Quelques-uns de mes neurones, de sacrés loustics, me soufflèrent alors que le couple « pratiquait la géométrie dans les spasmes ». J'étais fier comme un petit banc (calembour archi-connu) d'avoir trouvé ça. On me félicita.

Trente ans après, lisant un volume des *Écrits surréalistes*, je découvris qu'un poète de la bande, donc longtemps avant moi, avait déjà planché sur « la géométrie dans les spasmes ». Déception, humilité.

Plus récemment, j'écrivis dans un tweet que les pêcheurs, les poissonniers et les chefs ne lâchent jamais la lamproie pour l'omble. Patatras ! Jean-Paul Grousset l'avait servi avant moi.

Comment être sûr que lui-même, en toute bonne foi, n'a

pas créé des calembours qui étaient déjà les œuvres de précédents humoristes et mécaniciens des mots, qui eux-mêmes...

On croit notre esprit en liberté sur les mers et il est resté en cale à Hambourg.

Le cigare du matin

Umberto Eco : « Grâce au cigare, on s'esquinte la santé, mais il s'agit d'un suicide de haut vol, rien à voir avec la sèche du pauvre, porteuse de mort au rabais », *Comment voyager avec un saumon*.

J'ai été sauvé de la cigarette et de la « mort au rabais » parce que je ne supportais pas le contact du papier sur mes lèvres. Je distribuais ma ration de Gauloises Troupe, la cibiche du troufion, à mes camarades de chambrée, sans mauvaise intention ni calcul morbide, les effets cancérigènes de la nicotine étant ignorés ou tus.

Devenu fumeur de cigares vers la trentaine, je suis sous la menace d'un « suicide de haut vol », ce qui au bout du compte revient au même que la fin ordinaire de la multitude. Il y a cependant une différence pathologique : le cancer des poumons emporte le fumeur de cigarettes, alors que, n'avalant pas la fumée, le biberonneur de havanes vit sous la menace du cancer de la gorge, de la bouche ou de la langue. Est-ce vraiment une consolation de prestige que Freud, ayant trop fumé de mauvais cigares, soit mort étouffé ?

La différence sociale entre la cigarette et le cigare commence dès l'initiation. Offertes par un copain ou une copine, les premières cigarettes se fument souvent en douce, à la sortie du lycée, au café, dans une chambre. C'est pour faire et être comme les autres. On gravit un échelon dans la maturité. À cet âge, si on a conscience d'un risque, il n'est pas sanitaire, il est de se faire surprendre et engueuler par les parents.

Le premier cigare, beaucoup plus tardif, parfois à mi-vie, est souvent offert par un supérieur dans l'échelle sociale, un aîné assez riche pour s'acheter des havanes. L'accepter, le fumer, y trouver du plaisir, c'est un adoubement. La cérémonie a souvent lieu au terme d'un repas bien arrosé, au cours d'une fête entre amis, sous un ciel étoilé de l'été.

Mon initiateur s'appelle Jean Hamelin. Il a été le directeur de *Paris Match*, puis du *Figaro*. Plutôt que de diriger des journaux, il a préféré ensuite les vendre par l'intermédiaire des Messageries. C'est lui qui, un soir, m'a demandé pourquoi j'étais paresseux. Alors, je l'étais, en effet. Son reproche a piqué ma fierté. C'est grâce à lui que j'ai acquis de l'ambition dans ma curiosité et mon travail. C'est donc grâce à lui que j'ai pu par la suite m'acheter des havanes et lui rendre ceux qu'il m'avait offerts. Devenus très amis, c'était à qui, le dessert avalé, en attendant le café, dégainerait le premier son étui à cigares.

Quand nous buvons un Château Margaux, un Haut-Brion ou un Mouton-Rothschild, nous ne buvons pas seulement un grand vin de Bordeaux. Notre imaginaire y ajoute un prestigieux accompagnement, le château, le classement de 1855, la renommée universelle, le prix déraisonnable, une étiquette mythique, la rareté de la bouteille. Nous buvons aussi tout cela.

De même, quand nous fumons un Montecristo, un Hoyo de Monterrey ou un Romeo y Julieta, nous fumons aussi la mer des Caraïbes, l'île de Cuba, les vieilles maisons de La Havane, les feuilles qui sèchent, groupées, haut perchées dans les *casas del tabaco*, les cuisses des cigarières, la légende d'un folklore. Nous fumons aussi au souvenir de Che Guevara, d'Orson Welles et de Churchill. Tandis que j'écris ce texte en tirant des bouffées d'un Partagas n° 4, je fume au souvenir de Jean Hamelin.

Les fumeurs de cigarettes disposent également d'images qui sont autant de métaphores de leur addiction : le casque gaulois, la gitane, le cow-boy de Marlboro… Le panthéon de la cibiche n'est pas mal non plus : Albert Camus, Jean-Paul Sartre, Humphrey Bogart, Jacques Prévert, Françoise Sagan… Mais rien de comparable à l'exotisme artisanal des havanes. La « sèche du pauvre » relève de l'industrie, des cadences infernales de production. Les usines, elles aussi, fument. Mais, à l'exemple de leurs cadres et ouvriers, elles fument de moins en moins.

Enfin, tandis que la cigarette est permanente du matin au soir, le cigare est un rendez-vous. On ne le sort pas machinalement. Il a son heure. Le premier – et souvent seul havane de la journée – se situe après le déjeuner ou le dîner. Il est le prolongement de la table, du bien-être, de la béatitude. Le choisir, le tâter, le respirer, l'allumer est une cérémonie. Il vient de loin. Il a droit à des égards et à des commentaires flatteurs. Il a besoin de temps. C'est pourquoi le cigare n'est quasiment jamais du matin.

Sauf qu'une affiche d'Europe 1, qui date de 1970, me représente en train de fumer un havane, vers 8 h 20, heure de ma « Chronique pour sourire ». Publicité amusante et mensongère. Comment expliquer cet anachronisme alors moins provocateur qu'il ne le serait aujourd'hui ? Un humoriste américain, Art Buchwald, avait à l'époque beaucoup de succès. Sur ses photos il avait toujours un gros havane planté au milieu du visage. L'agence de publicité avait probablement joué sur l'équivalence.

Umberto Eco en aurait tiré l'idée qu'Europe 1 avait voulu proclamer sur les murs et dans la presse que son chroniqueur du matin n'appartenait pas au peuple de la cigarette mais à l'élite du cigare. J'avais donc mes entrées dans les coulisses de la politique et mon couvert à la table des présidents et des stars. « L'iconographie populaire, écrit Eco, associe le cigare au magnat des affaires, à l'homme de pouvoir. » De ce point de vue, c'était encore une publicité mensongère. Je ne fréquentais aucune femme de prestige, aucun homme de pouvoir, hormis Maurice Siegel, directeur de la station de radio. Amusé par mes articles littéraires, il m'avait confié cette chronique dont il avait eu l'idée pour apporter un peu de divertissement dans la succession implacable des mauvaises nouvelles du matin.

Tout de même, il y avait quelque chose de vrai dans ma photographie au cigare matutinal. Avec l'argent de la chronique, je pouvais désormais m'offrir quelques havanes.

De la beauté des écrivains

Witold Gombrowicz : « Le Clézio m'a rendu visite avec sa femme peu après mon arrivée à Vence et m'a fait la meilleure impression, sérieux, intelligent, sincère. Concentré, presque tragique (il a vingt-sept ans). Très beau et plus encore photogénique... », *Journal*, tome II, 1967.

Gombrowicz a trouvé Le Clézio si beau qu'il se demande si ce « venin » ne sera pas préjudiciable à sa carrière d'écrivain. D'autant que sa femme est « mignonne aussi », qu'ils roulent dans une petite voiture de sport et qu'ils habitent à Nice une place nommée Île-de-Beauté ! « Ses romans baignent dans les ténèbres impénétrables d'un désespoir absolu tandis que lui-même, jeune dieu en maillot de bain, plonge dans l'azur salé de la Méditerranée. » De cette mortelle contradiction Gombrowicz pense que seul le rire pourra sauver Le Clézio.

S'il l'a oubliée, cinquante ans après la fausse prophétie de l'écrivain polonais arrachera au moins un sourire à l'auteur de *Chercheur d'or*.

Il est vrai que la beauté de Le Clézio – physique d'acteur

américain, blond, grand, viril, visage lumineux, voix grave – participe plus que pour tout autre de son image, de sa réputation, de ce que nouent ensemble sur le petit écran la tête de l'écrivain et la couverture de son livre. Après chacun de ses passages dans mes émissions, deux tête-à-tête notamment, pas un téléspectateur qui ne me disait le lendemain : « Qu'est-ce qu'il est intelligent ! Qu'est-ce qu'il est beau ! » Parfois, dans l'ordre inverse.

Je ne crois pas lui avoir demandé comment il vivait avec son corps et s'il s'accommodait de sa beauté. Alliée ou rivale de son talent d'écrivain qui seul lui importait ? Séduction dont il aurait aimé être privé pour ne devoir son prestige qu'à ses livres ? Bonus qui n'était qu'un héritage alors que c'est de son travail avec les mots qu'il a été récompensé par le prix Nobel de littérature.

Ayant refusé pendant de nombreuses années de paraître à la télévision et même de se laisser photographier, Le Clézio n'a jamais misé sur son image pour faire la promotion de ses livres. Depuis que, pour *Désert*, en 1980, il a enfin accepté une invitation à *Apostrophes*, il ne s'est guère répandu sur le petit écran (mémorable présence à *La Grande Librairie* le soir de son prix Nobel). Il a pourtant magnifiquement vieilli, avec je ne sais quoi de fragile ou d'énigmatique.

Avant qu'il perde ses cheveux, Michel Tournier était lui aussi très beau, en particulier sur les photos où son sourire était craquant. Il n'aimait pas, gêné ou ironique, qu'on le complimente là-dessus. Ça n'ajoutait ni ne retranchait rien à ses livres, mais il retournait vite la photo comme si elle représentait une intrusion dans sa secrète vie privée. Il avait pourtant été le producteur et animateur d'un magazine télévisé sur la photographie, *Chambre noire*. Les grands photographes de l'époque étaient ses amis. Craignait-il d'être accusé de s'être servi de leurs reportages et voyages ensemble pour faire profiter son image de leur talent ? Je crois plutôt que le corps, l'un des sujets majeurs de tous ses romans, était à ses yeux un objet d'attraction-répulsion, à commencer par le sien.

L'intelligence de Jorge Semprun était aussi flagrante que sa beauté. En Castillan de bonne famille, il affichait l'une et l'autre avec une sérénité impressionnante, comme si tous les dons qu'il avait reçus de naissance et qu'il avait ambitieusement cultivés allaient de soi. Il pouvait développer une argumentation pendant des heures. On observait alors sur son visage une vigoureuse variété d'expressions, de l'enjôlement à la colère, de la gravité à l'ironie, qui étaient comme autant de manifestations d'un charisme imbattable. Il aimait s'exprimer à la radio, mais c'est à la télévision qu'il était totalement lui-même, de corps et d'esprit.

Son mètre quatre-vingt-dix-huit et ses difficultés à s'exprimer retenaient plus l'attention des téléspectateurs que la beauté de son visage. Pourtant le jeune Patrick Modiano affichait sur l'écran une irrésistible séduction, et c'est précisément grâce à elle que bien des femmes avaient envie de le prendre dans leurs bras pour l'aider à finir ses phrases et pour qu'il continue, rien que pour elles, à chercher ses mots.

Je n'ai jamais invité pour sa beauté une femme qui avait

commis un roman médiocre ou un essai navrant. Mais, à qualités à peu près égales de leurs livres, n'ai-je pas parfois donné la préférence à celle dont le charme ou l'éclat ajouterait à l'émission un attrait qui ne tiendrait pas que de la conversation ? Je me rappelle mon heureuse surprise quand je faisais connaissance dans la salle de maquillage d'un écrivain – on était encore loin de dire une écrivaine – dont le plaisir et l'angoisse d'être bientôt sous les caméras s'inscrivaient sur un visage exquis. Ainsi ai-je découvert France Huser, Raphaëlle Billetdoux, Marie Nimier, Régine Deforges (dont la photo, nue, était parue dans je ne sais plus quelle revue), Annie Ernaux, Dominique Rolin, Katherine Pancol, Françoise Wagener, Nelly Alard, Muriel Cerf, Paule Constant, Noëlle Chatelet et dix ou vingt autres.

Le livre et la séduction de la frimousse n'ont aucun rapport. À l'extérieur de l'œuvre, oui. Mais, à l'intérieur, le corps, l'imperium de ce qu'il dit, sa présence dans l'acte d'écrire, le plaisir ou non de vivre avec lui suscitent souvent, même dans des romans éloignés de l'autofiction, des pages où le lecteur attentif décèle, pour paraphraser Roland Barthes, des fragments de discours intime.

Vite, vite, donnez-moi du temps…

Balzac à madame Hanska : « Vous me demandez comment je puis trouver le temps de vous écrire ! (…) Eh bien, vous seule vous êtes demandé si un pauvre artiste, à qui le temps manque, ne faisait pas des sacrifices immenses en pensant, en écrivant à celle qu'il aime », lettre du 9 septembre 1833.

Pas plus qu'un ministre, un médecin ou un cuisinier, l'artiste ne fait des sacrifices quand il écrit ou téléphone à sa bien-aimée. Balzac était fou de sa Polonaise et il jugeait plus urgent de lui adresser des pages enflammées que de reprendre le manuscrit auquel il était attelé. L'amoureux n'est pas un procrastinateur. Priorité absolue à l'objet de sa passion. Le reste n'est ni supprimé ni bâclé, mais passe après. Ou se cale dans les brèches d'une journée bien remplie.

L'écrivain est maître de son emploi du temps, mais pas le ministre, le médecin, le cuisinier ou le journaliste. Ils ont des obligations, des rendez-vous, des horaires à respecter. Alors ils apprennent à profiter ici d'une annulation, là d'une disponibilité fortuite. Ils rusent, ils accélèrent, ils mordent sur la durée. Ils disent : donnez-moi deux minutes, et ils envoient un texto. Les textos ont dû être inventés par un homme dont la maîtresse était très surveillée. Ou par un amant aux éjaculations courtes mais répétées.

Quant aux concepteurs du téléphone portable, si un prix Nobel de l'amour existait, ils le recevraient chaque année. On n'échange plus de lettres passionnées ; on se parle interminablement au téléphone. Au café, dans le taxi, à l'aéroport, en marchant, sur un banc, sous un parapluie, sous une tonnelle, sous les étoiles. À son domicile, aussi, quand on peut. Orange et Bouygues sont les entremetteurs de Vénus et Cupidon. Ils devraient proposer des forfaits pour nouveaux couples et couples illégitimes.

On trouve toujours le temps d'aimer. Voyez ce chef d'une entreprise du CAC 40. Cent mille employés dans le monde, des réunions qui parfois se chevauchent, des conseils d'administration, des rendez-vous avec des sommités de la politique, de la banque, de l'industrie et du commerce, des déjeuners ou des dîners d'affaires, des voyages en Amérique et en Asie, des lectures toujours urgentes de rapports, de bilans, d'études, de projets, des réflexions à mener, des décisions à prendre. À cela, ajoutez une femme, cinq enfants de deux mariages, trois heures de golf le samedi matin quand il est à Paris. Eh bien, il arrive quand même à dégager quelques heures par-ci par-là pour honorer une maîtresse de sa coruscante virilité.

On croit les présidents de la République submergés, étouffés, ligotés par leurs immenses responsabilités, à la recherche d'un peu de temps pour réfléchir. Et on apprend qu'au volant d'une voiture ou sur le tansad d'une motocyclette, ils reviennent le matin d'escapades sexuelles, des miettes de croissant sur leur veste.

Quelles que soient les contraintes de son existence, qui aime et est aimé(e) sait se faufiler dans le labyrinthe du temps. C'est une règle universelle.

Quand il ou elle commence à dire : je n'ai pas eu le temps de t'appeler ; je n'ai pas le temps de rester ; je n'aurai pas de temps pour toi cette semaine, c'est que la passion ne mérite plus ce nom-là.

Le dernier rôle de Jean-Pierre Melville

Le 2 avril 1973, pour ma première émission de télévision *Ouvrez les guillemets*, sur la première chaîne, j'avais enrôlé Gilles Lapouge comme chroniqueur de littérature générale. Nous avions travaillé ensemble au *Figaro littéraire*, nous étions amis et j'appréciais autant le journaliste que l'écrivain, en particulier pour l'élégance et les saveurs de son écriture.

« Durant la première émission, écrit Gilles Lapouge, j'ai parlé du livre d'Ismail Kadaré, *Chronique de la ville de pierre*. Le lendemain, Jacqueline Baudrier, la patronne, a félicité Pivot. Quant à moi, il m'a été reproché le choix stupide d'un romancier que personne ne connaissait, un Albanais en plus ! Décidément, je ne valais rien et d'ailleurs je ne savais pas parler. J'ai tout de suite été naufragé », *En toute liberté*.

Gilles Lapouge exagère un peu. Il a admirablement parlé de Kadaré – choix judicieux – mais trop longuement, ce qui a énervé des professionnels de la télé. Il raconte ensuite que pour empêcher son éviction, j'ai mis ma démission dans la balance. Il m'a suffi de dire à Jacqueline Baudrier que nous étions l'un et l'autre des débutants et que nous continuerions l'un et l'autre, ensemble, à nous améliorer.

Parmi les chroniqueurs d'*Ouvrez les guillemets*, Jean-Pierre Melville tenait une fois par mois la rubrique des romans policiers. J'étais un fan de ce metteur en scène austère qui avait réalisé de magnifiques films noirs comme *Le Doulos*, *Le Deuxième Souffle*, *Le Samouraï*, *Le Cercle rouge*. Depuis l'échec commercial d'*Un flic*, il ne tournait plus guère. J'ai pensé que faire la critique des polars à la télévision l'amuserait. On me rapporta qu'il avait un caractère ombrageux, très soupe au lait, et qu'il lui serait difficile sur le plateau de n'en être pas le patron. On verrait bien. Il accepta tout de suite, avec une satisfaction surprenante.

Dès le lendemain de sa première prestation, intelligente, pleine d'autorité, sur Émile Gaboriau, Conan Doyle et James Cain notamment, il me demanda de passer le voir, rue Jenner, dans le XIIIe arrondissement, où il possédait des studios qui avaient brûlé quelques années auparavant. Mes questions, mes enchaînements ne lui avaient-ils pas plu ? Ne lui avais-je pas laissé assez de temps pour s'exprimer ? Non, de ce côté, tout allait bien. Mais la mise en scène de l'émission était déplorable. Si je ne changeais pas de réalisateur, je courais à la catastrophe !

Le réalisateur était Claude Barma, l'une des gloires de la télévision de l'époque (*Belphégor*, *Les Enquêtes du commissaire Maigret*, *Les Rois maudits*, etc.). Il est vrai que sa spécialité était la fiction et non la retransmission en direct de conversations de plateau. Mais c'était Barma ! À la télévision, une renommée égale à celle de Melville au cinéma.

Le cinéaste reprochait au « téléaste » d'avoir planté un embrouillamini de canapés et de fauteuils dans lesquels les invités se tournaient le dos et devaient risquer le torticolis pour suivre les dialogues auxquels ils ne participaient pas. Pourquoi m'obliger à faire trois ou quatre déplacements pendant l'émission alors que je serais plus à l'aise sur un seul siège autour duquel les écrivains et chroniqueurs seraient groupés ? Pourquoi filmer compliqué quand on peut faire simple ?

Il y avait du vrai dans les critiques de Melville, en particulier les disgracieuses torsions des invités sur leurs chaises ou dans les canapés. Mais allez dire cela au populaire, sympathique mais susceptible Claude Barma ! À la télévision, je n'étais encore qu'un béjaune pour qui un plateau, son mobilier, les places des caméras dessinaient une géométrie mystérieuse. Si je me risquais à en contester l'efficacité et l'harmonie, Barma comprendrait aussitôt que j'avais été embobiné par Melville. Déjà qu'il avait jugé décevante sa première intervention dans l'émission !

Il n'y en eut pas de seconde, Jean-Pierre Melville ayant refusé, un mois après, de cautionner par sa présence la mise en scène de Claude Barma. Magazine d'hommage aux mots et à la littérature, *Ouvrez les guillemets* débutait par une guerre des images. Je regrettais beaucoup d'avoir perdu Melville. Trois mois après, c'est toute la France qui regrettait sa disparition.

Petit Rimbaud

Dans les portraits d'écrivains et d'artistes qu'il a connus chez Gallimard (*Instantanés*), Roger Grenier évoque brièvement Renée Massip, romancière aujourd'hui oubliée, quoiqu'elle ait obtenu le prix Interallié, en 1963, pour *La Bête quaternaire.*

Mariée à Roger Massip, directeur du service étranger du *Figaro*, elle passait souvent dans l'hôtel particulier du rond-point des Champs-Élysées où le quotidien concentrait ses bureaux, ses salons, son imprimerie, sa longue histoire et son influence. Chaque fois, elle poussait jusqu'au *Figaro littéraire.* Elle pouvait y nouer des conversations qu'elle n'avait pas aux autres étages sur l'actualité des livres.

Renée Massip m'appelait « petit Rimbaud », parfois « mon petit Rimbaud ». Le petit Rimbaud n'était pas à l'aise. Plutôt ennuyé de devoir supporter cette écrasante comparaison. Agacé, surtout devant ses camarades moqueurs, de devoir passer pour le ridicule succédané d'un génie. Je n'écrivais que des articles de presse ; je n'étais pas un jeune homme révolté ;

et ma tête ne présentait rien qui pût rappeler le beau visage énigmatique du poète.

Catholique militante, de vingt-huit ans plus âgée que moi, Renée Massip ne nourrissait aucun dessein lubrique. Elle était maternelle, cordiale, joyeuse, et elle m'aimait bien, voilà tout. Mais pourquoi m'affubler de ce surnom qui m'horripilait plus qu'il ne me flattait ? Un jour, je me suis résolu à le lui demander.

« Parce que Rimbaud vous va bien, m'a-t-elle répondu. J'aime donner à mes amis des noms de gens célèbres. C'est flatteur pour eux et ça me fait plaisir.

– Rimbaud est dur à porter !

– Vous auriez préféré Bossuet, Lamartine, Anatole France ?

– Heu…, non.

– Alors, va pour Rimbaud », m'a-t-elle dit, et d'un geste m'ébouriffant.

Selon Roger Grenier, Renée Massip est morte en 2002, dans sa 95e année. Nous nous sommes embrassés pour la dernière fois en août 1985, dans le salon de maquillage d'*Apostrophes*. Elle était venue présenter son livre *Douce lumière*. J'avais cinquante ans. Elle ne m'a pas appelé « petit Rimbaud ».

Voltaire et la vieille catin

À la fin de sa vie, Voltaire fulminait contre des éditeurs indélicats de Lausanne et de Genève qui publiaient sous son nom « mille fadaises qui ne sont pas de moi, et celles qui en sont méritent encore plus que les autres d'être jetées au feu ».

Des commerçants malhonnêtes savaient déjà tirer quelques dividendes de la renommée. Mêler du faux au vrai fait de l'abonde. Voltaire : « Je ressemble à ces vieilles catins dont on débite l'histoire amoureuse. Si elles ont eu quelques amants dans leur jeunesse on leur en donne mille », lettre à Élie Bertrand, Ferney, le 25 octobre 1773.

Il est vrai qu'on prête aux séducteurs et aux grandes amoureuses plus de conquêtes qu'ils n'en ont eu. Les hommes sont des hâbleurs : ils ne démentent rien. Ils font des mystères qui laissent entendre que, s'ils n'étaient pas aussi modestes, ils avoueraient le Bottin. Plus ils se montrent élégants dans la discrétion, plus on met de créatures dans leurs lits de jeunesse.

Au contraire, les femmes, le plus souvent, protestent contre une réputation sulfureuse. Les hommes conquièrent, les femmes cèdent. Ce fut vrai autrefois, ça l'est beaucoup moins aujourd'hui. Mais il reste de ces époques à la Fragonard un sentiment de faute, de culpabilité, qui empêche les femmes de revendiquer avec simplicité, sérénité, fierté, aplomb (rayer les mentions inutiles) leurs bonnes fortunes. Elles minimisent, elles s'offusquent, elles disent ne pas se souvenir. Mon œil !

Car l'homme voudrait bien savoir. Combien avant lui ? Des liaisons ou des toquades ? *Senso* ou *La Ronde* ? Amour, quand tu nous tiens, ou passez muscade ?

Des artistes en chambre ou de maladroits peintres sur le motif ? lui répond-elle sans manifester de trouble, avec même une souriante désinvolture.

Lui-même, à ses questions, n'a-t-il pas embelli ou banalisé son passé amoureux, adaptant son récit à, suppose-t-il, ce qu'elle veut entendre ? Leurs conversations vont des craques aux tendres carabistouilles. Avec leur mémoire sexuelle, ils jouent tous les deux au poker menteur, lui, en plus, s'il est fanfaron, aux dames. L'important, c'est qu'ils gagnent tous les deux.

Est-il vrai qu'avant de mourir certains hommes font défiler dans leur tête les visages des femmes avec lesquelles ils ont eu une jolie aventure ? Et que certaines femmes revoient les hommes avec qui elles ont partagé leur lit ? Dans ce cas, la vieille catin de Voltaire a dû s'y prendre assez longtemps avant de rendre son âme.

Dans la lettre de Voltaire, ce qui avait d'abord arrêté ma lecture, c'étaient les faux en écriture. On ne prête qu'aux riches. Le patriarche de Ferney continuait de faire recette.

Mais sa comparaison avec une vieille catin est surprenante. À l'époque, le mot désignait une prostituée. Lui attribuait-on pendant sa jeunesse autant d'amants qu'on attribuait d'écrits à Voltaire ? Ces mystères qui entourent la vie intime des hommes et des femmes m'ont interpellé. J'ai là-dessus quelques souvenirs. C'est ainsi qu'à une réflexion sur les textes apocryphes s'en est substituée une autre sur la mémoire amoureuse. Les ricochets suivent parfois des trajectoires inattendues.

Né à Lyon, supporteur des Verts

Si vous avez une ascendance stéphanoise et une descendance lyonnaise, ou inversement, occupez-vous de pharmacie, d'architecture ou de papeterie, mais surtout pas de football. La rivalité entre l'Association sportive de Saint-Étienne et l'Olympique lyonnais est exécrable. Deux derbys par an tendent les nerfs des supporteurs et déchaînent les cris d'admiration des uns et de détestation des autres. Chaque match entre les deux clubs est une revanche sur le précédent et, par une victoire éclatante, une tentative de liquidation de ce que le palmarès compte de passif pour chacun.

Dans les familles stéphano-lyonnaises, il est des dimanches où les deux accents se chevauchent dans des joutes de prétoire ou des querelles de boutiquiers.

Ce doit être bien pire quand le chef de famille est le leader de la rubrique football à *L'Équipe*. L'ascendance de Vincent Duluc est stéphanoise et sa descendance lyonnaise. Gamin, il a suivi avec passion ce qu'on a appelé « l'épopée des Verts » – terminée par une finale de Coupe d'Europe des clubs champions, perdue à Glasgow contre le Bayern Munich – et, depuis trente ans, c'est lui qui raconte les hauts – sept années de suite champion de France – et les bas de l'Olympique lyonnais…

« … La rivalité entre Saint-Étienne et Lyon, qu'il s'agisse de football ou d'autres domaines de la vraie vie, dessine quelque chose d'une frontière qui ne serait franchie que par les traîtres. Ceux qui ont une double vie changent de peau entre Givors et Rive-de-Gier, sur la route enchâssée au pied des monts du Lyonnais », Vincent Duluc, *Un printemps 76.*

Né à Lyon, supporteur des Verts, j'ai tout l'air du traître de service, alors que la fidélité ne me fait pas changer de veste ni de trottoir quand je franchis la frontière qui sépare et oppose le Rhône et la Loire. L'explication est évidemment familiale. Ma mère, lyonnaise, se fichait bien du sport. Ce n'est pas elle qui m'emmenait assister à Gerland et au stade des Iris à des matchs de football et de rugby à XIII, mais mon père, né à Saint-Symphorien-de-Lay, dans la Loire, donc entiché du football stéphanois.

Quand, trop rarement à son goût et au mien, je recueillais au collège et au lycée des notes flatteuses, nous partions, le dimanche après-midi, au stade Geoffroy-Guichard dans la camionnette de l'épicerie. Les noms de Cuissard, Alpsteg, Rijvers, Abbes, puis N'Jo Léa, Mekloufi me sont vite devenus plus familiers que ceux de Pascal, Diderot ou Pasteur. J'ai grandi avec cette certitude qu'un match de l'ASSE est une exception et une récompense.

À Lyon, le menu était beaucoup moins alléchant. Le LOU (Lyon olympique universitaire), ancêtre de l'OL, jouait en seconde division. Nous allions voir des LOU-Alès, des LOU-Le Mans… Pas folichon. Et, pourtant, nous aussi, nous encouragions bruyamment les gones et nous nous réjouissions de leurs victoires. S'ils perdaient, notre chagrin était cependant moins vif que pour une défaite de Saint-Étienne à l'étage au-dessus. La hiérarchie des chagrins et des joies épousait la hiérarchie des clubs.

Il me semblait que Lyon, ville bourgeoise, ne pourrait jamais avoir une équipe de football aussi populaire, aussi talentueuse que celle de Saint-Étienne, ville ouvrière. Dans le Chaudron de Geoffroy-Guichard, stade à l'anglaise entouré de cheminées qui crachaient la fumée d'une briqueterie, le public, à défaut du ballon, poussait les joueurs par ses chants, ses cris, ses applaudissements, sa ferveur. Au stade des Iris, puis à Gerland, stade bientôt inscrit aux Monuments historiques, même quand les Lyonnais jouaient en première division, l'adhésion du public à son équipe était moins bruyante et chaleureuse. Cependant, la conquête de trois Coupes de France m'impressionna et me réjouit. L'OL flambait avec des joueurs exceptionnels : Di Nallo, Rambert, Combin, puis Serge Chiesa et Bernard Lacombe. Mais, feu de paille, le club retomba dans la division inférieure.

Pendant ce temps, l'ASSE devenait le club français le plus aimé en France et le plus connu d'Europe, remportant championnats et coupes, et parvenant en 1976 en finale de la Coupe d'Europe. Le monde du foot était devenu vert. De Dunkerque à Nice, de Strasbourg à Biarritz, des jeunes gens chantaient : « Qui c'est les plus forts évidemment c'est les

Verts. » À Saint-Chamond également. Saint-Chamond, petite ville proche de Saint-Étienne, a connu son heure de gloire grâce à Antoine Pinay, père du nouveau franc. Il en a été le maire et le vieux sage. Les hommes politiques venaient en pèlerinage le consulter. Il est mort à près de cent trois ans. Je ne l'ai jamais vu à Geoffroy-Guichard. Mais moi, on m'y voyait souvent, notamment les mercredis de matchs européens, étant chaque fois invité par mon camarade de collège, Gérard Faye, vétérinaire à Saint-Chamond. Nous nous retrouvions à quatre ou cinq couples, les épouses, surtout la mienne, n'étant pas moins expertes et passionnées que les hommes.

La télévision ouvrant bien des portes, celle du vestiaire des joueurs stéphanois s'ouvrit pour moi dès la fin des matchs. J'y retrouvais Roger Rocher le président du club, Robert Herbin l'entraîneur, Pierre Garonnaire le recruteur. Dans l'euphorie des victoires acquises contre tous les pronostics, sur le fil, le roi n'était pas mon cousin. Dans une société où les superstitions sont cultivées avec vigilance, je passais pour porter bonheur à l'équipe.

Par faveur je fis quelques fois le déplacement en Europe dans l'avion des joueurs, notamment à Hambourg où, quasiment seul, j'avais pronostiqué la victoire de Saint-Étienne, sans cependant donner le score incroyable et irréfutable de 5 buts à 0. Du temps d'*Apostrophes*, la seule distraction que je m'autorisais, cinq ou six fois par an, était un déplacement à Saint-Étienne ou dans une ville où l'équipe jouait gros, c'est-à-dire devait jouer plus finement que son adversaire.

J'emportais quelques-uns des livres dont j'avais invité les auteurs le vendredi suivant. Train, avion, auto, avant et après le match, je lisais.

J'étais évidemment à Glasgow, le 12 juin 1976. J'ai assisté à la défaite imméritée des Verts contre le Bayern Munich. Il n'y avait pas faute de Piazza, il n'y avait pas coup franc, et Roth a tiré avant le signal de l'arbitre. But quand même accordé. J'enrage encore. Vincent Duluc n'a pas vu le but. Dans sa région, l'image de la télévision a sauté à ce moment-là. Quand elle est revenue, le mal était fait. Le destin avait choisi son camp. Je savais que les Stéphanois, en dépit de l'entrée trop tardive de Rocheteau, blessé mais agile et inarrêtable, n'égaliseraient pas. On ne peut rien contre le fatum. Il était bavarois. Déjà que les Allemands avaient retenu prisonnier mon père pendant cinq ans… Ça faisait beaucoup !

Il y avait encombrement d'avions sur l'aéroport de Glasgow. Celui des supporteurs français dans lequel j'avais une place n'a décollé qu'à quatre heures du matin. On m'enviait de pouvoir tromper ma déception et mon chagrin en lisant, impassible, au milieu des lamentations de ceux qui refaisaient le match. Je lisais *Le Mauvais Temps*, de Paul Guimard. C'était de circonstance.

Après le scandale de la caisse noire, l'ASSE a chuté, non dans les cœurs mais dans les classements. Les décennies glorieuses étaient terminées. C'est alors que l'Olympique lyonnais se donna pour président Jean-Michel Aulas. J'avais cru naïvement que les grandes équipes ne pouvaient naître, s'imposer et durer que dans des villes populaires (Marseille, Lens, Saint-

Étienne, Liverpool, Manchester, etc.) où le football est l'autre religion du dimanche. Or ce sont des hommes qui bâtissent les clubs de légende. Roger Rocher avait été de ceux-là. C'était au tour de Jean-Michel Aulas. Il avait l'ambition, l'intelligence, la patience et l'argent. Le public fut vite à l'unisson. Idiot que j'étais, il y a aussi beaucoup d'ouvriers à Lyon et dans ses banlieues, et, quand les victoires s'enchaînent, il y a autant de ferveur pour le foot chez les bourgeois que dans les autres classes sociales.

Performance sans précédent, l'OL remporta sept fois de suite le titre de champion de France dans la première décennie du nouveau siècle. Sans parvenir en finale, l'équipe se comporta fort bien en Coupe d'Europe. Comment ne pas être ébloui par une telle réussite ? J'en étais ravi, contrairement aux supporteurs stéphanois, agacés, amers, furieux. Je ne pouvais pas partager leur dépit. La jalousie des Lyonnais avait duré un demi-siècle ! Avec un peu d'égoïsme, je jugeais normal et équitable, presque moral, que la ville de ma mère succédât à la ville de mon père dans les lauriers du football. Mon cœur est large.

La gloire de Lyon n'a pas entamé ma fidélité à Saint-Étienne. Je souhaite chaque semaine la victoire des deux clubs. Mais quand le derby les oppose ? La nostalgie et la reconnaissance l'emporteront toujours sur l'admiration nouvelle, si forte soit-elle. Je ne peux trahir ni mon père ni ma jeunesse.

Je ne suis cependant pas un vrai supporteur stéphanois. Celui-ci accepte toutes les défaites, sauf contre Lyon. Alors que pour moi, si les Verts doivent laisser échapper une victoire, je préfère que ce soit contre Lyon plutôt que contre toute autre équipe.

Voilà une position qui va m'aliéner la sympathie des ultras des deux camps. Ce n'est pas grave, considérant que, lors de ma naissance, j'aurais pu être, déjà, une victime de leur farouche opposition. C'est l'un des prédécesseurs de Jean-Michel Aulas à la présidence de l'Olympique lyonnais, le docteur Édouard Rochet, alors jeune obstétricien, qui m'a mis au monde. S'il avait su que je deviendrais un supporteur des Verts, peut-être aurait-il laissé traîner le cordon ombilical autour de mon cou ?

La manœuvre ratée d'Aragon

Frédéric Vitoux : « Qui se souvient aujourd'hui d'André Corthis et de ses romans ? », *Au rendez-vous des mariniers*.

En dépit de son nom, André Corthis était une femme de lettres. Prix Femina en 1906 (*Gemmes et moires*, poèmes), elle présidait le jury en 1932. C'est à cause d'elle, indirectement, que Céline n'obtiendra pas le prix Goncourt. En effet, sa voix double de présidente a fait pencher le scrutin d'égalité en faveur de Ramon Fernandez au détriment de Guy Mazeline. Si elle avait choisi celui-ci, il n'aurait plus été en piste pour le Goncourt, laissant le champ libre à Céline.

J'ignorais cet enchaînement de circonstances, rapporté par Frédéric Vitoux, qui a provoqué le ratage le plus cuisant de l'académie Goncourt.

Souvent, un prix littéraire tient à peu de chose : une voix double, une absence, un entêtement minoritaire, l'antipathie de deux jurés, une stratégie risquée. Ou un article de journal. C'est ce qui s'est passé pour le Goncourt attribué en 1968 à Bernard Clavel (*Les Fruits de l'hiver*) de préférence à François Nourissier (*Le Maître de maison*).

Pour être sûr que son ami François Nourissier l'emporterait dans un scrutin qui s'annonçait incertain, Aragon, nouvel académicien Goncourt, avait circonvenu les élus communistes du conseil municipal pour que le grand prix littéraire de la Ville de Paris fût attribué à Bernard Clavel. Mission accomplie. Ainsi la route du Goncourt était-elle dégagée pour François Nourissier.

La manœuvre n'avait pas échappé à André Billy, confrère d'Aragon chez Drouant. Je lui demandai les raisons de son air furibard alors qu'il était toujours d'excellente humeur. Il m'expliqua. Je n'avais plus qu'à écrire l'article et le publier. Ne pas le faire eût été une faute professionnelle. J'admirais le talent de François Nourissier, mais le courriériste littéraire que j'étais devait faire passer l'information avant son opinion.

J'avais quand même le toupet d'y aller de mon conseil : « L'académie Goncourt serait bien inspirée de décider une bonne fois pour toutes que, se plaçant au-dessus de tous les autres prix, elle ne tiendrait plus compte de ceux-ci, surtout si justement leurs choix sont faits pour contrarier le sien. » C'est aujourd'hui, depuis plusieurs années, la position de l'académie Goncourt.

L'entourloupette d'Aragon étant rendue publique, vexés, rebelles, les jurés décidèrent que le prix de la Ville de Paris ne disqualifiait pas Bernard Clavel pour le Goncourt. Ils le lui attribuèrent. Et Aragon démissionna.

Jamais François Nourissier ne m'a tenu rigueur de cet article qui avait contribué à lui faire perdre le prix Goncourt.

Journaliste à ses heures, attentif à l'actualité, il connaissait les impératifs et les aléas du métier. Plus de trente ans après, c'est lui, président de l'académie Goncourt, qui m'a dit que je pourrais très bien l'y rejoindre, les statuts ne stipulant pas que seuls les écrivains avaient accès au salon de Drouant. Pourquoi pas un journaliste ? En décembre 2004, de son habile autorité, alors qu'il avait abandonné la présidence à Edmonde Charles-Roux, il obtint un vote unanime à mon entrée à la Société littéraire des Goncourt – le vrai nom de l'académie. Enfin, il s'était vengé !

Une Apostrophes de rêve

Un jour, il faut bien passer aux aveux. Reconnaître que mon incorruptibilité a connu une défaillance. Que mon souci de ne jamais ouvrir *Apostrophes* à l'un ou l'une de mes proches a été pris en défaut. Le secret a été bien gardé, c'est vrai. Nul n'en a jamais rien su. Il y a prescription. Mais la dissimulation pèse sur ma conscience. Le moment est venu de dire la vérité. La voici : quand j'ai enregistré mon célèbre entretien avec Louise Labé, j'étais son amant depuis six mois.

Il se trouve que notre histoire commune a coïncidé avec la publication de ses *Œuvres*. Elles contiennent notamment les vingt-quatre sonnets qui ont établi sa renommée. Au prétexte que j'avais la chance d'être aimé d'elle, devais-je par une cruelle déontologie la priver d'*Apostrophes* ? Son silence à la télévision était-il le prix à payer de mes tendres sentiments pour elle ? Quelle injustice ! La promotion de la littérature, en particulier la sienne, si admirable, ne dépasse-t-elle pas de beaucoup nos petites vanités morales ? Par quel méchant paradoxe Louise Labé, qui a écrit sur l'amour la plus belle poésie qui soit, devrait-elle être victime de l'amour, le mien, le sien, le nôtre, provisoire, fragile, daté, alors que ses sonnets sont immortels ?

Bien trop fière, la « Belle Cordière », pour me demander ce que son talent était en droit d'exiger ou ce que son amour était en mesure d'espérer ! Peut-être même considérait-elle que sa liaison lui épargnait de devoir s'exposer à la télévision. Ce qu'on pouvait prendre pour de la timidité était tout simplement de l'élégance.

Aussi, quand son éditeur lui annonça – comme pour les autres écrivains, j'étais passé par l'attachée de presse de sa maison d'édition – que je souhaitais faire un tête-à-tête avec elle de soixante-quinze minutes, crut-elle à une farce. Devinant sa réaction, je l'appelai aussitôt et lui confirmai mon invitation.

« Tu es fou ! me dit-elle.

– Tu crois vraiment que c'est de la folie d'interviewer la plus grande poétesse de la Renaissance ?

– Mais tes principes ? Ta rigueur ?

– De pauvres mots comparés aux tiens.

– Tu prends un risque !

– Je prends le risque de la littérature et de l'amour », lui répondis-je, phrase pompeuse dont par la suite nous nous moquerons beaucoup.

Comme la plupart des grands entretiens d'*Apostrophes* – Julien Green, Claude Lévi-Strauss, Georges Simenon, Marguerite Yourcenar, Albert Cohen, etc. –, il fut enregistré au domicile de l'écrivain, en l'occurrence, rue de l'Arbre-Sec, à Lyon. Pour y avoir passé plusieurs nuits je connaissais bien l'appartement de Louise Labé, son rez-de-chaussée cossu qui donnait sur un jardin. Comme Nicolas Ribowski, le réalisateur, et les techniciens, cadreurs, preneur de son, éclairagiste, scripte, j'étais censé découvrir les lieux. J'ai été un comédien parfait, m'étonnant de la présence dans son salon d'un clavecin, d'une harpe et d'un luth (c'est une musicienne douée), admirant les étoffes épaisses et chatoyantes des rideaux, les meubles vénitiens, les nattes en jonc, sur un mur l'un des premiers tapis d'Orient parvenus à Lyon. Tandis que l'équipe technique s'installait, Louise et moi feignions de nous apprivoiser, de nous jauger. Nous apprenions surtout à ne plus nous tutoyer, à revenir au vous de notre première rencontre. Nous nous aperçûmes très vite que la comédie ajoutait du risque et du piquant à l'entretien. Nous étions dans la transgression et cela exigeait que nous fussions excellents, moi dans mes questions, elle dans ses réponses. Quand Nicolas Ribowski nous demanda de nous asseoir dans les deux sièges éclairés par les projecteurs, je profitai du mouvement pour serrer avec force une main de Louise, geste de tendresse et d'encouragement qui échappa aux techniciens.

Au top du réalisateur, m'adressant au public à travers l'œil d'une caméra placée sur ma droite, je dis : « Bonsoir à tous. À écrivain d'exception émission exceptionnelle. L'œuvre de Louise Labé est peu abondante mais d'une telle qualité, d'une telle originalité, qu'elle a mérité de rejoindre dans la faveur de la critique et des lettrés la poésie de Ronsard, de Du Bellay, de Maurice Scève, d'Olivier de Magny et du jeune

Jodelle. Qui a mieux chanté l'amour que Louise Labé ? On ne s'étonnera donc pas que la poésie et l'amour occupent une large place dans cet entretien enregistré au domicile de la poétesse lyonnaise. *Apostrophes*, 445e numéro. Chez Louise Labé. »

Comme d'habitude, diffusion d'un extrait du *Concerto no 1* de Rachmaninov.

Ensuite, moi : « Merci, Louise Labé, de me recevoir et d'accueillir les caméras d'Antenne 2. »

Elle, avec déjà ce sourire un peu mélancolique qui m'avait d'emblée séduit et qui allait fasciner les téléspectateurs pendant plus d'une heure : « Soyez les bienvenus. Je voudrais dire d'emblée que cet exercice oral est pour moi difficile. Le poète a une parole hésitante, à cause de son habitude de raturer ses écrits. Bien sûr, après de multiples ratures, son style peut paraître limpide. Mais quand il prend la parole, il n'a plus la ressource de corriger ses hésitations*. Je m'efforcerai cependant de faire de mon mieux. »

Je ne reproduirai pas ici notre entretien. D'abord parce qu'il a été publié en postface à une nouvelle édition des *Élégies* et *Sonnets* ; ensuite, parce que Antenne 2 a diffusé deux fois l'émission, le vendredi qui a suivi son enregistrement et le lendemain de la mort prématurée de Louise Labé ; enfin,

---

* Ces quatre phrases seront reprises par Patrick Modiano dans son célèbre *Discours à l'Académie suédoise*, après son prix Nobel de littérature (2014).

comme tous les grands entretiens d'*Apostrophes*, il est disponible en librairie sous la forme d'un DVD.

Au cours du traditionnel repas qui réunissait l'équipe technique après le tournage, Nicolas Ribowski m'a dit qu'il m'avait trouvé moins à l'aise que d'habitude. Après un début très prometteur, je n'étais pas intervenu avec ma vivacité ordinaire. À l'écoute des réponses pourtant intelligentes, parfois sublimes, de mon interlocutrice, je lui étais apparu embarrassé, un peu songeur, pas du tout dans l'empathie ou la connivence que je manifeste souvent. « C'est sa beauté qui t'impressionnait ? » me demanda-t-il.

Le réalisateur, qui me connaissait bien, ne se trompait pas. Je n'allais évidemment pas lui répondre : « Interviewer son amante, c'est compliqué. Comment passer de l'intimité à la distance conventionnelle de la télévision ? » Je lui dis qu'il avait peut-être raison, mais que je n'avais pas ressenti une quelconque gêne, et que si je lui étais apparu un peu en retrait, c'est parce que j'étais sous le charme de Louise Labé.

En vérité, au beau milieu de l'entretien, j'avais fait une petite crise de jalousie. Ayant demandé à Louise s'il avait existé une école de poésie lyonnaise, comme certains l'ont prétendu, elle me répondit que c'était moins une école qu'un cercle de poètes et de lettrés qui se réunissait tantôt chez l'un tantôt chez l'autre, et que le sentiment amoureux en était aussi le lien. Le seul sujet de la poésie était l'amour, et seul l'amour accréditait et justifiait le poète. Une différence toutefois : alors que la poésie devait se plier à la métrique de l'élégie et du sonnet, l'amour était libre.

Seigneur, ai-je alors pensé, combien d'amants Louise Labé a-t-elle eus avant moi ? Combien d'élans, de désirs, de passions, de chagrins ont inspiré ses plus belles pages ?

J'arrive trop tard dans un cœur trop plein. Non, hélas, ce n'était pas pour moi qu'elle avait écrit son célèbre dix-huitième sonnet qui commence ainsi :

« Baise m'encor, rebaise moy et baise ;
donne m'en un de tes plus savoureux… »

Je lui ai demandé de lire le huitième. Le sachant par cœur, elle a repoussé le livre que je lui tendais.

« Je vis, je meurs : je me brûle et me noye
J'ay chant estreme en endurant froidure ;
La vie m'est et trop molle et trop dure ;
J'ay grans ennuis entremeslez de joye… »

et tandis que de sa bouche aux lèvres minces sortaient les mots qui disent le bonheur et le malheur d'aimer, j'imaginais, s'interposant entre nous deux, les visages des hommes qui lui avaient apporté joie et douleur.

J'ai avoué à Louise Labé mon accès de jalousie rétrospective. Elle m'a dit qu'elle l'avait perçu, qu'elle en avait été stimulée et que j'avais somme toute très bien tenu mon rôle dans la comédie amoureuse que nous avions jouée devant un million et demi de téléspectateurs.

Pleurer

Régis Debray : « C'est quoi l'Histoire pour vous ? Réponse : ce qui me met les larmes aux yeux, point final », *Madame H.*

L'Histoire m'a-t-elle fait pleurer ? Oui, mais pas assez pour que je passe pour un émotif du journal de 20 heures. Pourquoi mes yeux restent-ils secs alors que les drames collectifs m'émeuvent profondément ? La chute de Diên Biên Phu, la guerre d'Algérie, les révoltes écrasées de Budapest et de Prague, le génocide du Cambodge, les boat-people, le massacre de Srebrenica, entre autres joyeusetés dont j'étais le contemporain, m'ont bouleversé, tourneboulé, indigné, révolté, mais je ne me rappelle pas avoir sorti mon mouchoir. Pourtant, c'était du lourd, du pathétique, de l'impitoyable mêlé à une souffrance massive. Si j'avais été en âge de comprendre, aurais-je pleuré sur Auschwitz et Hiroshima ? Il est probable que ç'eût été encore de l'émotion à sec.

Je ne suis pourtant pas un monstre. La mort de De Gaulle m'a mis les larmes aux yeux. Ainsi que la photo de la petite Vietnamienne fuyant, nue, en larmes, les bombes au napalm. De même la photo du corps d'un petit garçon venu de Syrie, découvert noyé sur une plage de Turquie. J'ai pleuré en découvrant le témoignage d'un harki que l'ingratitude de la France avait laissé vieillir dans la misère. Les récits des survivants des camps de concentration m'ont souvent arraché des larmes (cette expression « arracher des larmes » est fausse, les larmes viennent sans effort, d'elles-mêmes, elles coulent de source). Quand, à Buchenwald, Jorge Semprun récite des vers de Baudelaire à Maurice Halbwachs, qui a été son professeur à la Sorbonne et qui est à l'agonie, comment mes larmes ne seraient-elles pas tombées sur les pages 32 et 33 de *L'Écriture ou la Vie* ?

On a compris : je sais pleurer sur un destin tragique, sur un parcours glorieux qui prend fin. Je ne sais pas pleurer sur les malheurs de la multitude. La compassion devrait pourtant être à proportion du nombre. Comme dans la presse : plus il y a de morts, plus gros sont les titres. Mais non, sangloter en gros m'est impossible. Mes yeux ne se mouillent qu'au détail. Un visage, un corps, une image, une histoire, une tragédie individuelle. Parce qu'on s'identifie à un homme ou à une femme, et moins facilement à une foule ? Parce que la lecture forcenée des romans et des biographies ne m'a fourni pour comprendre le monde que des clés nominatives ?

Le massacre des journalistes et employés de *Charlie Hebdo* m'a d'abord laissé incrédule, puis, mais si, c'était vrai, atterré, épouvanté. Qui n'a pas réagi ainsi ? Plus tard, j'ai pleuré. Sur Cabu, éternel jeune homme dégingandé mort de la violence et de la bêtise auxquelles il avait toute sa vie opposé l'élégance de son dessin et la pertinence de son humour. Le dernier regard du grand Duduche ? Sur un homme dont la main crache le feu. Oh, non… J'ai senti en moi se déchirer des souvenirs de Cabu à *Apostrophes*… C'est idiot, c'est inutile, je sais, mais c'est comme ça : soudain, feutrées, des larmes…

Nous regardions un soir en famille je ne sais plus quel film qui racontait la retraite de Russie. Toutes les horreurs d'une armée en déroute dans un hiver glacial. Des mourants ensevelis sous la neige. Des blessés que soutenaient encore des éclopés. Des malades du typhus auxquels un prêtre donnait l'extrême-onction. Des soldats aux mains et aux pieds gelés. Des chevaux exténués que l'on égorgeait pour boire leur sang. Des restes d'un bataillon englué dans la boue, cerné par des partisans. Et encore d'autres braves terrassés par le froid et la faim…

Je me tournai vers une de mes filles que j'entendais sangloter. Le spectacle était pour elle insupportable. Trop de morts, trop de blessés. Son petit cœur avait craqué.

« Vous avez vu ? demanda-t-elle en s'essuyant les yeux.

– C'est très cruel, dis-je.

– Mais tu l'as vu ?

– Qui ?

– Le chien abandonné dans la neige. »

La vie littéraire en 1966

Pierre Assouline : « Vie littéraire. Spécialité française faite de rituels, de festivals, de voyages, de librairies, d'émissions, de prix… Le monde entier nous l'envie, mais même le Qatar n'a pas réussi à l'acheter », *Dictionnaire amoureux des écrivains et de la littérature.*

En un demi-siècle, la vie littéraire a bien changé. Elle s'est socialisée avec la multiplication et le succès des salons, foires et fêtes du livre. Les best-sellers dédicacent à tour de bras. Malheur au romancier débutant que l'ordre alphabétique a placé entre le prix Goncourt et un dessinateur de b.d., entre un champion de football et une vedette de music-hall. Autographe et selfie attestent doublement la rencontre brève de l'écrivain et du lecteur.

Les lectures publiques des œuvres par leurs auteurs font souvent salle comble, de même les débats organisés par les libraires et, avec plus d'ambition et de public, par les journaux, magazines et salons. Ajoutons à cela les conférences, les interviews dans la presse écrite, à la radio, à la télévision, sur le Net, pour certains des comptes sur Facebook et Twitter…

Jamais les écrivains, du moins ceux qui s'y prêtent, n'ont été autant exposés à la curiosité du public.

En revanche, jamais n'a été aussi pauvre la vie littéraire en tant que rencontres professionnelles et amicales entre écrivains. Dans les années 60, il y avait encore des mouvements, des écoles, des chapelles, des revues qui réunissaient leurs affidés. Quelle autre célèbre photo depuis celle, signée Mario Dondero, qui avait rassemblé devant l'entrée des éditions de Minuit, rue Bernard-Palissy, les écrivains du Nouveau Roman, Claude Simon, Butor, Sarraute, Robbe-Grillet, etc. ?

Les écrivains des *Cahiers des Saisons* aimaient se retrouver une fois par mois pour dîner au *Procope*, sous la houlette de Jacques Brenner.

André Breton, puis Jean Schuster réunissaient les derniers surréalistes à *La promenade de Vénus*, café de la rue du Louvre choisi pour la poésie de son nom.

Les collaborateurs de la revue *Commerce*, entre autres Jean Paulhan, Julien Gracq, Henri Thomas, avaient des habitudes au *Train bleu*, buffet de la gare de Lyon.

Au *Club des Poètes*, rue de Bourgogne, on mangeait mal, mais buvait sec, déclamait ample. Son patron, Jean-Pierre Rosnay, allait bientôt accueillir les caméras de la télévision. Il était prudent de retenir son poète.

S'il y avait un cocktail dans l'année qu'il ne fallait pas rater, c'était celui des éditions Gallimard. Dans les salons et jardins du 5 de la rue Sébastien-Bottin, maintenant rue Gaston-Gallimard, on avait la chance de croiser Jean-Paul Sartre, Romain Gary, Simone de Beauvoir, Brice Parain, Aragon,

Jean Genet, Marcel Jouhandeau, Jean Paulhan, etc., ainsi que Gaston Gallimard et toute sa descendance.

Quoique moins bien achalandé, le cocktail des éditions du Seuil était aussi très recherché. « Monsieur Sollers, de grâce, un mot ! Philippe, c'est mon tour ! » Ainsi débute mon premier petit article, signé de mes initiales, publié dans *Le Figaro littéraire* (15 novembre 1958). Le jeune Sollers venait de publier *Une curieuse solitude*, premier roman couvert d'éloges par Mauriac et Aragon. « Pour contenter ses admirateurs, il eût fallu au moins quatre Philippe Sollers, un par buffet. »

Le cocktail des *Inrockuptibles*, chaque rentrée littéraire, est-il un surgeon de la grande époque des raouts d'éditeurs ?

Courriériste pendant plus de dix ans, je rendais compte chaque semaine de la vie littéraire. Sa partie visible : écrivains étrangers de passage à Paris, élections, prix, réunions, cocktails, voyages, remises de manuscrits, tirages, etc. Mais surtout – ce qui m'amusait davantage – la partie cachée de l'actualité littéraire : querelles à l'académie Goncourt, comment ils ont voté le jour du prix, crêpages de chignons des dames du Femina, petits complots à l'Académie française (où une élection avait plus de retentissement qu'aujourd'hui), brouilles et transferts d'écrivains (le mot *mercato* était encore inconnu), publication en avant-première de passages polémiques ou comiques de livres à paraître, mots d'auteurs…

Dans la même page, je pouvais aussi bien raconter l'élection miraculeuse sous la Coupole du philosophe catholique Jean Guitton (il était convaincu que Dieu lui avait donné un coup de main) que le lancement d'un camembert de Touraine appelé « Le dessert de Balzac ».

Arrivé trois ans après moi au *Figaro littéraire*, Jean Chalon, issu lui aussi de la province, volait, bourdonnait et butinait dans la vie littéraire et parisienne comme une abeille dans les jardins de Marie-Antoinette. Plus cultivé que moi, déjà romancier, sympathique et joyeux, il savait s'y prendre pour se faire inviter dans les cercles littéraires les plus huppés. C'est grâce à lui que j'ai pu, à l'hôtel Meurice, accéder à la table de Florence Jay-Gould, richissime Américaine qui recevait à déjeuner quelques grands noms de la littérature de l'époque. Chalon et moi faisions les bouts de table. Nous avons le même âge et notre amitié, toujours vivace, n'a jamais souffert de différends dus aux rivalités et jalousies, si fréquents dans la presse comme dans l'édition.

Dans l'immense format de l'époque (60 x 42 cm), *Le Figaro littéraire* du jeudi 28 avril 1966 a publié un « Guide indiscret des restaurants et des salons littéraires », enquête signée de nos deux noms. À Chalon les salons, à moi les restos.

Pour chaque patron ou directeur littéraire de maison d'édition, j'avais donné l'adresse où ils déjeunaient le plus souvent ainsi que leurs plats préférés.

À l'époque, *Allard*, rue Saint-André-des-Arts, mêlait avec succès cuisine familiale et cuisine littéraire. On y rencontrait Pagnol, Sagan, Druon, Graham Greene, Revel, Kessel, l'éditeur Guy Schoeller…

Sartre était un habitué du *Falstaff*, rue du Montparnasse. Il avait sa table, la première à gauche en entrant. Je l'ai vu déjeuner d'un rosbif arrosé d'eau de Vichy, sa fille adoptive ayant préféré la Vittel.

Chardonne détestait tous les restaurants de Paris, sauf *La Mère Michel*, rue Rennequin, où le beurre blanc du brochet était en effet d'anthologie.

Une vingtaine de bistrots, brasseries et restaurants étoilés (en dehors des légendaires et archi-connus *Lipp*, *Closerie des Lilas*, *Lapérouse*, etc.) étaient ainsi répertoriés, avec spécialités et noms des écrivains et éditeurs qui y avaient leur rond de serviette. Ce qu'alors tous ces gens de lettres pouvaient siffler comme beaujolais !

Ce n'était pas le vin qui était servi dans les vingt-huit salons littéraires tenus par des femmes qu'il fallait bien qualifier de lettrées puisqu'elles recevaient pour l'essentiel des écrivains. Jean Chalon avait ses entrées chez chacune et pouvait vanter la crème de cassis d'Ève Delacroix (« du bon côté de l'avenue Foch »), le jus de tomate de Marie-Louise Bousquet ou le café « servi brûlant comme il se doit » de Marie-Laure de Noailles. Madame Michel Amédée-Ponceau recevait Henry de Montherlant en exclusivité. « Bonne maison pour jeunes écrivains sérieux. Conversation élevée », note Chalon à propos de madame de Margerie. De chacune il donne l'adresse et plante le décor en quelques mots. Chez la comtesse Brandolini, il se croit chez Visconti. La baronne Élie de Rothschild le subjugue : « C'est Versailles, tout simplement. »

Mais son hôtesse préférée, qui recevait depuis un demi-siècle et qui fut l'amazone de Remy de Gourmont, c'était Natalie Barney. Il lui consacrera une biographie, *Portrait d'une séductrice*, bien des années après que Liane de Pougy l'eut célébrée dans l'*Idylle saphique*. Dans son salon elle avait accueilli Joyce, Gide, Anatole France, Colette… Elle recevait à présent de jeunes écrivains auxquels se mêlaient parfois Truman Capote ou Mary McCarthy. « Gâteaux exquis faits à la maison par la gouvernante, Berthe », lit-on encore sous la plume de Jean Chalon.

Il déjeunait chez Natalie Barney tous les mercredis. Mais c'était le jour de bouclage du *Figaro littéraire*. On avait souvent du retard. Impatient, il avait hâte de partir pour le 20, rue Jacob. « Regardez Chalon, disais-je à la ronde, regardez Chalon, il va rejoindre sa vieille maîtresse… »

Nous nous sommes l'un et l'autre beaucoup divertis. Notre immersion professionnelle et privée dans la foisonnante vie littéraire de l'époque ne faisait de nous que des courriéristes et échotiers, mais cela nous donnait une certaine place dans le monde des livres et suffisait à notre ambition tournée uniquement vers le plaisir d'approcher des écrivains. Quel journal publierait aujourd'hui nos billets légers et indiscrets ?

Accor, accordé, accordéon

Francis Carco : « L'orchestre, composé d'un seul musicien qui jouait de l'accordéon… », *L'Équipe*.

« Remonte tes chaussettes, me disait ma mère. Elles sont en accordéon. » *Les chaussettes en accordéon* est la première métaphore qui m'a fait comprendre que, par souci de clarté, on pouvait associer deux mots sans rapport l'un avec l'autre. Il y eut aussi *les cheveux en broussaille* et, après un coup de soleil, *le nez comme une tomate*.

Comparer des chaussettes plissées, affalées sur les chevilles, à un accordéon dont le soufflet se tend et se replie, me parut malin. Comme la plupart des enfants du village, je me glissais dans les bals des conscrits et du 14-Juillet. À l'exemple du bal de la rue Dénoyez, dans le quartier parisien de Belleville, où Carco faisait valser les personnages de son roman, un accordéoniste constituait l'orchestre à lui seul. Il jouait surtout des valses musettes. Les robes des femmes s'envolaient devant nos yeux ébaubis. L'accordéon me parut être une boîte magique. Son prestige ne pâtissait pas d'être associé à des chaussettes reprisées.

Quand je lus Francis Carco et Pierre Mac Orlan, je découvris que, comme les rats de La Fontaine, il existe deux sortes d'accordéons : les accordéons des villes et les accordéons des champs. Plus une troisième ethnie à bretelles, d'escale cellelà, les accordéons des ports. Dansées par des ouvriers, des paysans ou des marins, valses et javas étaient à peu près les mêmes dans les guinguettes, les salles des fêtes et les bars. Ce n'était pas l'accordéoniste qui, dépliant et repliant son instrument, donnait le ton, faisait la différence, même si certains savaient lancer à la foule des mots qui lui donnaient un surcroît d'allant et de bonne humeur. L'ambiance tenait surtout aux danseurs. Mouvements, couleurs, rires, cris, applaudissements, baisers produisaient, stimulé par la musique, un plaisir collectif différent d'un bal à un autre, les couples de femmes ou de jeunes filles n'étant pas les moins joyeux ou les moins survoltés.

Dans le Beaujolais, mon frère jouait d'un accordéon des vignes. J'enviais son pouvoir de faire tourner les têtes.

Une lecture interrompue

David Foenkinos : « Le livre était ainsi coupé en deux ; la première partie avait été lue du vivant de François. Et à la page 321, il était mort. Que fallait-il faire ? Peut-on poursuivre la lecture d'un livre interrompu par la mort de son mari ? », *La Délicatesse*.

Elle ne pourra pas reprendre le livre avant un bon bout de temps. Les obsèques, les formalités administratives, la réorganisation de la vie familiale, la succession, le deuil, la douleur… Elle a des préoccupations plus urgentes que renouer avec les personnages du roman.

Mais un jour, pourquoi pas, elle en aura la curiosité. Alors, comme si de rien n'était, rouvrir le livre à la page 321 ? Et continuer la lecture ? Impossible, ne serait-ce que parce qu'elle ne se souviendra plus de l'histoire, ou si vaguement qu'elle ne saura plus qui est qui et qui a fait quoi. Donc, revenir au début ? Relire ? C'est-à-dire revivre cette période d'insouciance pendant laquelle à son insu se préparait le drame. Retrouver celle qu'elle était encore, mariée, heureuse, et qui ne savait pas que tout allait basculer. Son histoire à elle est tellement présente, à vif, tragique, que les petites histoires des autres, même plus rocambolesques ou pathétiques, ne pourront pas occuper son esprit comme elles l'avaient occupé avant la mort accidentelle de son époux. Il n'est pas impossible qu'elle en vienne à haïr ces personnages de fiction, de hasard, de loisir, qui ne prennent aucune part à son malheur, alors qu'ils en sont les accompagnateurs, et même, page 321, les témoins.

À cette page fatale, elle arrivera de nouveau. Comment ne revivrait-elle pas, dans la détresse, ce moment où la sonnerie du téléphone l'a tirée de la fiction et projetée dans une sombre réalité ?

Pourquoi relire un livre dans lequel elle ne relira que son malheur ?

Plutôt le ranger dans la bibliothèque avec le marque-page qu'elle avait eu le réflexe de glisser dès la première sonnerie. Le garder comme une montre arrêtée pour toujours au jour et à l'heure exacte du choc.

Quand c'est le lecteur qui est surpris par la mort au milieu d'un livre, on imagine que sa famille le conserve comme une relique. Sur son lit d'hôpital, Robert Sabatier lisait des poèmes de Valéry dans la Pléiade. Il est décédé chez lui, dans la compagnie des livres de sa vie. Il est regrettable de ne pas connaître le dernier qu'il a ouvert, comme il est frustrant d'ignorer la dernière carte retournée par le général de Gaulle au cours de sa réussite tragique à Colombey.

Au cas, très improbable – mais ne désespérons ni Billancourt ni Rome ni Jérusalem ni La Mecque – où notre vie serait prolongée par une autre, on aimerait que le défunt lecteur trouve où qu'il soit un exemplaire du livre que la brutale panne de son cerveau l'a empêché de finir. On ne doute pas qu'il juge que rien n'est plus urgent que reprendre la lecture là où, avec regret, il avait dû la laisser.

On peut se demander s'il n'est pas souhaitable de quitter ce monde au milieu d'un gué culturel. Être surpris au cinéma, au théâtre, dans un livre, dans une exposition, au cours d'une visite d'église ou de château, devant son poste de télévision pendant un film ou un concert. Ainsi aurons-nous commencé une activité liée aux arts ou aux lettres dont nous regretterons la soudaine interruption. Avec vigueur nous en exigerons la poursuite. Il n'est pas impossible que le divin ou le big bang admette le bien-fondé de notre revendication et l'exauce avec élégance.

Débuter une seconde vie un livre en main, au cinéma, au théâtre ou au concert, et non pas comme la première, rougeaud, sale, affamé, en braillant dans une usine à bébés, ne serait-ce pas un progrès considérable ?

Le 17 novembre 1935, au cours de la séance de l'après-midi, au Miramar, Paul Nourissier est mort à côté de son fils François, huit ans. Ils étaient venus voir un film animalier. François a d'abord cru que son père s'était endormi. Quand son corps a glissé du fauteuil, les ronflements étant devenus des râles, il a crié « Papa ! en tirant sur la main qui s'en allait » (*Portrait d'un indifférent*). On comprend, après un tel choc, que pour François Nourissier les couleurs du monde se soient toujours situées entre l'eau grise et le gris cendre.

On n'imagine pas le père et le fils se retrouvant en février 2011, soixante-quatorze ans après, dans un Miramar céleste pour reprendre la projection d'un film animalier sans intérêt. Si Paul Nourissier avait eu la prescience de l'importance de cette séance de cinéma pour lui et pour François, peut-être aurait-il choisi d'aller voir *Les Temps modernes*, de Charlie Chaplin, *La Kermesse héroïque*, de Jacques Feyder, *Une nuit à l'Opéra*, des Marx Brothers, ou *La Femme et le Pantin*, de Josef von Sternberg, tous films de 1935 ? Trois quarts de siècle après, ç'aurait valu le coup de s'asseoir côte à côte dans un cinoche du ciel pour la projection, sans risque cette fois, d'un film devenu entre-temps chef-d'œuvre de cinémathèque.

J'irai cracher sur vos tombes n'est pas de ceux-là. Boris Vian est mort subitement pendant la projection du film tiré de son roman. Il ne l'appréciait pas du tout. Si Vian est en enfer, il est condamné à voir éternellement ce nanar. S'il est au paradis, il y joue de la trompette avec Duke Ellington.

Beaucoup d'écrivains meurent au milieu d'un manuscrit. S'ils sont célèbres, leur éditeur s'arrangera pour le proposer dans un tir d'œuvres groupées, genre florilège posthume. Rien de plus prestigieux que la Pléiade pour accueillir un texte interrompu par la foudre. Sinon, les héritiers en font une sainte relique. Ou le déposent avec les archives de l'auteur à la bibliothèque de sa ville natale.

En cas d'accession à une seconde vie, il est peu probable

que l'écrivain demande à reprendre son manuscrit et à le mener à son terme. Il a dessus suffisamment souffert. Il ne lui a pas porté chance. Et pour quels lecteurs continuer de s'échiner sur des feuilles blanches ? Pour quel à-valoir ?

On ne peut toutefois pas écarter l'éventualité qu'il soit contraint par une autorité surnaturelle de poursuivre et d'achever le travail commencé dans le bureau où il a tant rêvé à l'encens de la postérité. Ainsi serait-il puni de son péché de vanité et de ses fautes d'orthographe.

Le Pari mutuel de littérature (PML)

Jean-François Revel : « … La littérature a déjà emprunté aux courses une grande partie de son vocabulaire. Ne parle-t-on pas de “l’écurie Gallimard”, des “poulains” Julliard, de “courses aux prix” ? Ne dit-on pas d’un auteur qu’il a “pris un bon départ”, ou qu’il n’a “jamais été dans la course” ? », *Contrecensures*, cité dans *L’Abécédaire de Jean-François Revel.*

Sur quoi Revel proposait la création d’un Pari Mutuel de Littérature (PML) calqué sur le Pari Mutuel Urbain (PMU), avec courses quotidiennes, grandes classiques, handicaps, prix à réclamer, etc.

Le philosophe, écrivain et journaliste a plus fréquenté les champs de courses que les salons littéraires. Parce qu’il pariait sur les chevaux, les résultats du prix de l’Arc de triomphe ou du prix de Diane l’intéressaient plus que ceux du Goncourt ou du Femina. On peut toutefois se demander s’il n’a pas remporté plus de prix littéraires que de tiercés. Ses livres étaient gagnants, ses paris beaucoup moins.

Revel chroniquait de temps en temps au *Figaro littéraire*,

essentiellement sur des ouvrages de sciences humaines. Il apportait son article au journal où il bavardait longuement avec son ami Sylvain Zegel, turfiste amateur, alors que Revel méritait de figurer parmi les professionnels. Ensemble, ils « faisaient le papier » pour les courses de Longchamp de l'après-midi ou du lendemain. Fasciné, j'écoutais Revel énumérer, de mémoire, les courses où tel cheval était arrivé vainqueur ou placé, l'état du terrain de sa course la plus probante, ses chances compte tenu de la forme de son entraîneur et de son jockey, le poids, la distance, ses concurrents, et, toujours, l'état du terrain, souple, lourd, ou, très ennuyeux, entre les deux. À quoi il ajoutait, ce qui me laissait éberlué, le nom des géniteurs du cheval, parfois d'un ascendant célèbre. Bon sang ne saurait mentir. Je me demandais alors qui étaient les parents de cet effarant et sympathique agrégé de philo*.

Je m'étonnais surtout qu'il perdît son temps à se fourrer dans la tête des informations aussi dérisoires. L'auteur de *Pourquoi des philosophes*, de *Sur Proust*, le redoutable polémiste du *Style du général*, penché sur la liste des partants dans *Paris Turf*, supputant les chances des canassons du jour, était-ce compatible avec la réputation d'un intellectuel de son envergure ? N'y avait-il pas là une inconséquence culturelle ? N'était-elle pas choquante, cette passion d'un surdoué de l'encéphale pour un jeu populiste, souvent truqué, qu'il s'efforçait d'ennoblir en lui appliquant l'intelligence de sa méthode ?

---

* Son père était un commerçant autodidacte de Marseille.

Ainsi manifestais-je avec Revel le même manque de jugeote, commettais-je le même péché de rigorisme que, quinze ans plus tard, *mutatis mutandis*, certains intellectuels avec moi, jugeant incompatibles mon amour du football et ma fréquentation sur le petit écran de Marguerite Yourcenar, Claude Lévi-Strauss, Georges Duby ou... Jean-François Revel, auquel j'apportais mon écot dans une sorte de pari collectif du journal. On y croyait chaque fois parce que les arguments du philosophe nous paraissaient irréfutables. La course perdue, ils l'étaient toujours. Mais, allez savoir pourquoi...

Nombril et arobase

La mode d'été incitant les jeunes filles à se promener le nombril dénudé, Milan Kundera considère qu'après les cuisses, les fesses et les seins, « ce petit trou rond détient le quatrième pouvoir de la séduction féminine », *La Fête de l'insignifiance*.

Cependant, contrairement aux trois autres appas, différents pour chaque femme, « tous les nombrils sont pareils ». Il existe donc, selon Kundera, un érotisme fondé sur la similitude et la répétition.

Sitôt apparue sur nos ordinateurs, l'arobase des adresses électroniques m'a semblé ressembler beaucoup au nombril. Mêmes rondes et étroites géographies repliées sur elles-mêmes. Mêmes attaches circulaires. Universellement répandus, autant nécessaires l'un que l'autre, le nombril et l'arobase sont si évidents et si discrets qu'on ne leur prête guère d'attention. Il y a pourtant en eux une part de magie. Le nombril est une cicatrice qui remonte aux origines de l'homme ; la minuscule arobase est un caractère qui nous met en relation écrite avec la planète.

Ils se ressemblent encore en ce qu'ils ne sont que des auxiliaires, des intermédiaires.

Le plus important est quand même ce qui précède et suit l'arobase. De même, ce qui se situe au-dessus et au-dessous du nombril – pardon, Milan Kundera – concourt avec plus de liant à la communication érotique.

La gueule de l'emploi

Romain Gary : « Je demandai donc à Paul Pavlowitch, qui avait la "gueule" qu'il fallait, d'assumer brièvement le personnage (d'Ajar), avant de disparaître, en donnant une biographie fictive et en gardant le plus strict incognito. (...) Paul Pavlowitch collait au personnage. Son physique très "Ajar", son astuce, son tempérament, réussirent, malgré les évidences, à détourner l'attention de moi et à convaincre », *Vie et mort d'Émile Ajar*.

Autrement dit, Paul Pavlowitch avait la tête d'Ajar. Il avait la gueule de l'emploi. Romain Gary considérait à juste titre qu'il y avait dans la chevelure ébouriffée de son petit cousin, dans son regard sympathique et bravache, dans son physique de gitan toujours en mouvement, dans son accent bizarre et une manière bien à lui d'enchaîner les mots, quelque chose d'un rastaquouère de l'Europe de l'Est qui collait bien aux personnages exotiques et à la prose familière, biscornue et inventive de ses romans.

Question quand même : ayant écrit *Gros-Câlin*, Romain Gary a-t-il cherché parmi ses proches un homme qui endosserait le roman avec le plus de fiabilité ? Ou, ayant choisi Paul Pavlowitch comme doublure, a-t-il adapté son écriture à ce que sa personnalité dégageait d'étrange et de poétique ? En d'autres termes, le physique du petit cousin, ses manières, sa conversation, ont-ils influencé les romans de Romain Gary écrits sous le pseudonyme d'Émile Ajar ?

Paul Pavlowitch m'invita chez lui, un samedi matin de juin 1981. Qu'avait-il donc de si important et confidentiel à me dire ? Eh bien, qu'il n'avait pas écrit les livres d'Ajar, qu'il n'était pas Ajar puisque Ajar c'était Romain Gary ! On imagine ma stupéfaction. Et, au début, pas longtemps, mon incrédulité. Les romans d'Émile Ajar collaient tellement mieux à la personnalité de Pavlowitch qu'à celle de Gary ! Comment croire que *La Vie devant soi*, prix Goncourt 1975, était de l'autre, déjà prix Goncourt en 1956, et pas de lui, Pavlowitch, mélange de gravité, de truculence et d'humour ? Preuve de la supercherie : le livre que, lui, Paul Pavlowitch, et non plus Ajar ou Gary, allait publier trois semaines plus tard sous le titre *L'homme que l'on croyait*.

Dans le rôle difficile de l'imposteur avouant en direct son imposture (*Apostrophes*, 3 juillet 1981), Paul Pavlowitch a été parfait. Sincère avec dignité. Si convaincant et tellement Ajar qu'on pouvait se demander s'il n'était pas en train de nous bourrer le mou, ajoutant une mystification à une histoire folle. La vérité était que Romain Gary et Paul Pavlowitch avaient magnifiquement joué chacun sa partie. Si le premier en tirait posthumement une gloire supplémentaire, le second troquait sa réputation usurpée d'écrivain contre celle, authentique, d'acteur. Et quel acteur ! Admirable, en particulier dans la longue et difficile séquence du prix Goncourt. Pavlowitch-Ajar aurait mérité de recevoir un Molière ou un César.

Cette tromperie, la plus belle de notre histoire littéraire, n'aurait pas fonctionné si Paul Pavlowitch n'avait pas si bien collé aux livres qu'il était censé avoir écrits. Romain Gary avait bien perçu l'adéquation entre l'homme et l'œuvre. Existe-t-elle chez d'authentiques écrivains ?

Oui, chez Balzac, surtout chez Balzac. Il y a dans son physique une ampleur ramassée sur elle-même, une robustesse, une compacité qui sont comme l'équivalence de son image avec l'envergure et la force de *La Comédie humaine*.

Même rapport de l'homme à l'œuvre chez Alexandre Dumas, solide gaillard aux cheveux crépus. À l'instar de ses romans et feuilletons, inventif, boulimique, joyeux, multiple, rebondissant, émouvant, séduisant, un appétit d'ogre.

Il me semble que Mathias Énard a quelque chose de ces deux illustres écrivains. Une tête puissante et un corps massif au-dessus de romans, tel *Boussole*, prix Goncourt 2015, qui labourent puissamment la géographie et la culture de l'Orient.

Hugo paraît hugolien, Proust est proustien, alors que Zola n'a pas le physique de ses romans. Ni Flaubert avec sa moustache tombante. L'obsession de la lumière ne se retrouve-t-elle pas dans le regard de Camus ? Ses vies multiples, le foisonnement de sa culture ne constituent-ils pas une explication du désordre des gestes et du bouillonnement des paroles de Malraux ?

Aragon ? Céline ? Valéry ? Beauvoir ? Sartre ? Mauriac ? Simenon ? Beckett ? Duras ? Ce serait bien intéressant de chercher les analogies entre ce qu'ils nous donnent à lire et ce qu'ils nous ont donné à voir. Ce pourrait être l'objet d'une étude, d'un débat, d'un jeu de société, un thème de conversation, de déjeuner littéraire.

Et Romain Gary ? Bien peu Ajar, et tellement Gary. Russe mélancolique et Français charmeur, Américain de Hollywood et Européen par conviction, une belle gueule d'écrivain qui regardait la vie dans les yeux et la mort dans la bouche.

L'urgence de l'écriture

Marguerite Duras : « J'ai toujours aimé ça, l'urgence de l'écriture journalistique. Le texte doit avoir en soi la force – et pourquoi pas les limites – de la hâte avec laquelle il a été rédigé. Avant d'être consommé et jeté », *La Passion suspendue*.

Il est très vrai que les journalistes sont souvent dans l'urgence pour écrire leurs articles. Soit parce qu'ils y sont contraints, leurs récits ou commentaires étant concomitants ou très proches de l'événement dont ils rendent compte : une conférence de presse, une rencontre sportive, des élections, un attentat, une catastrophe météorologique, le palmarès d'un festival... Soit parce qu'ils ont attendu le dernier moment pour remettre leur copie, repoussant au dernier jour l'écriture du texte qui leur a été commandé.

Beaucoup de journalistes sont des procrastinateurs. Plusieurs raisons à cela. Nous aimons que le délai entre la rédaction et la parution soit le plus court possible. C'est le concept du beaujolais nouveau. Aussitôt vinifié, aussitôt bu. Aussitôt écrit, aussitôt lu. Les articles ne se bonifient pas en vieillissant.

Toujours être au plus près de l'actualité. Les journalistes de radio et de télévision sont dans l'instantané alors que leurs confrères de la presse écrite sont toujours dans le différé. À *Lire*, qui est un mensuel, je souffrais qu'il faille attendre une dizaine de jours avant que mon éditorial puisse être lu. Il me semblait qu'il n'était déjà plus très frais, comme frappé d'obsolescence.

Nous retardons aussi l'écriture d'un article au prétexte que nous pouvons tirer avantage d'un peu plus de réflexion et d'un surcroît d'informations ou de documentation. C'est souvent de la paresse camouflée sous l'esprit de sérieux.

Mais le principal motif qui nous pousse à écrire au dernier moment, c'est de bénéficier de l'urgence, de sa fièvre, de son excitation, de sa stimulation, de sa décharge d'adrénaline. Il y a du plaisir, même s'il est un peu sur les nerfs, à enrôler sous nos doigts les mots qui n'ont que trop attendu. Et nous pouvons espérer, comme l'a bien vu Marguerite Duras, que la hâte apportera de la force au texte. La contrainte du temps lui ajoute une sorte de légitimité et même de nécessité. On se convainc, à tort ou à raison, qu'un autre jour, à un autre moment, nous aurions fait moins bien.

Aragon, journaliste, était un virtuose de l'urgence. Sachant qu'un coursier viendrait chercher son papier à une heure convenue, il se mettait à écrire suffisamment tôt pour ne pas le faire trop attendre, suffisamment tard pour ne pas consacrer à l'article plus de temps qu'il n'en méritait. On a là-dessus le témoignage de son ami François Nourissier : « … Je regardais Louis travailler à l'autre bout de la longue table : il noircissait douze ou quinze pages, sans marge, sans ratures, sans ajouts, le temps pour moi d'en écrire une – il est vrai que le spectacle de cette prodigieuse aisance me détournait de mon travail », *À défaut de génie*.

Sur le Tour de France, Antoine Blondin était aussi un artiste de la page impeccable, presque sans ratures ni becquets. S'il avait un gros remords et devait biffer, il préférait déchirer la feuille et tout recommencer sur une autre, de son écriture appliquée, droite et ronde. Il pissait cependant moins de copie pour *L'Équipe* qu'Aragon pour *Les Lettres françaises*.

Je ne suis pas un sprinter. Ni un coureur de fond. Dans les courses de demi-fond des années 50, je forçais ma nature pour rester le plus longtemps possible au milieu du peloton. Dans l'écriture, c'est kif-kif bourricot (expression en vogue dans les années 50). Bien que je risque de manquer de souffle et de temps, j'attends, moi aussi, le dernier jour pour faire mon travail. C'est imprudent parce que je tiens à remettre ma copie à l'heure. En vingt ans de collaboration au *Journal du dimanche*, peut-être une ou deux demi-journées de retard ? C'est précisément l'imprudence qui enchérit sur la jouissance d'écrire le meilleur article possible.

Il m'est arrivé au *Figaro* de téléphoner entre vingt-trois heures et minuit un court papier sur la première d'un spectacle. Tant de lignes, pas une de plus, pas une de moins, l'article étant logé à une place bien précise dans une page qui l'attendait pour être bouclée. Philippe Bouvard et Pierre Macaigne excellaient dans cet exercice. La pression de devoir, très vite, dicter un billet léger, amusant – dit « parisien » –, m'excitait comme une boisson forte et me gâchait le spectacle.

Au *Figaro littéraire*, j'étais plein d'admiration et d'envie pour deux phénomènes : Pierre Mazars et Dominique Jamet. Nous avions commandé un taxi pour aller déjeuner dans un bistrot des Halles quand l'AFP annonçait la mort d'un écrivain, d'un peintre ou d'un architecte. Il fallait aussitôt écrire un à deux feuillets pour l'édition du *Figaro* qui partait à dix-huit heures en province. « Donnez-moi dix minutes », disait Pierre Mazars. Il ne lui en fallait pas davantage pour décapuchonner son gros Montblanc et, sans consulter d'archives, jeter quarante lignes sur le papier rose du journal.

Le jeune Dominique Jamet était un boulimique de l'écriture. Il n'était pas rare qu'il eût, en plus de son travail de secrétaire de rédaction, quatre ou cinq articles à faire, chaque semaine, pour *Le Figaro littéraire*, sur des sujets très divers, parfois difficiles. Il s'y mettait le dernier jour, ayant auparavant, bien sûr, réuni informations et réflexions. D'une plume alerte et infatigable, il alignait à la suite les textes, tous impeccables, sans même donner l'impression de céder à la hâte durassienne.

Le vainqueur des Prussiens

« Un mètre quatre-vingt-huit, un tour de poitrine en bon accord avec la taille, des bras puissants, des mains broyantes, le pas rapide et lourd, un air de protection fraternelle sur toute sa personne. Là-dessus, une voix assez peu timbrée mais chaude, une voix qui se faisait presque tout de suite intime, qui me palpait de l'intérieur, à cause de la conviction qu'elle portait. » Tel est le portrait de Philippe Viannay par Jacques Lusseyran, ce dernier aveugle génial, héros de la Résistance, que Jérôme Garcin a sauvé de l'oubli avec son beau livre *Le Voyant*.

Philippe Viannay était un autre héros de la Résistance. Il avait été l'un des fondateurs du réseau Défense de la France. C'était aussi le titre d'un journal clandestin où il signait ses articles « Indomitus » (l'Indompté, l'Indomptable). « Le 15 janvier 1944, écrit Jérôme Garcin, le quarante-troisième numéro de *Défense de la France*, qui comportait quatre pages, fut tiré à quatre cent cinquante mille exemplaires. Aucun autre journal clandestin, sous l'Occupation, n'avait atteint un tel chiffre. »

Philippe Viannay sera, onze ans plus tard, mon professeur d'histoire au Centre de formation des journalistes.

Je ne me rappelle pas qu'il était aussi baraqué. Mais il faut accorder plus de confiance au témoignage d'un aveugle dont « le troisième œil (...) voit plus profond et plus loin que les yeux ordinaires », qu'à ma maigre mémoire. Ce qui est incontestable chez Philippe Viannay, c'était l'intensité de son regard et la séduction de sa voix qui, en effet, « nous palpait de l'intérieur ».

Poussins de la guerre, blancs-becs plus tournés vers notre avenir que du côté des années terribles et déjà antiques, appréciions-nous la chance d'avoir pour nous enseigner l'histoire un homme qui en avait été l'un des acteurs ? Pas de la petite histoire politicienne bricolée avec des compromis et des compromissions. Non, la grande histoire où, pour reconquérir la liberté, on a un idéal, des armes et des couilles.

Nous savions que Philippe Viannay avait été un grand résistant, mais sans connaître le récit de ses audaces clandestines. Il n'en parlait pas. Si nous l'avions interrogé, aurait-il consenti à nous en faire le récit ? J'en doute. De toute façon, nous ne le lui demandions pas. Pourquoi ? Parce qu'on pressentait que c'était un domaine réservé. Probablement aussi parce qu'à fréquenter un héros on oublie peu à peu qu'il l'a été et on s'habitue à une légende tombée en quelque sorte dans le domaine public. Pendant la guerre, il avait fait son boulot, quoi ! Nous étions aussi ingrats que cons, lui bénéficiant quand même de notre part d'une rente admirative qui, comme toutes les rentes, se déprécierait au fil du temps.

La Révolution française était le sujet où sa verve excellait. Faits et idées se bousculant dans sa tête, Philippe Viannay y mettait de l'ordre en ouvrant des chapitres classés A, B, C, D, puis des sous-chapitres a, b, c, d, enfin, si nécessaire, des divisions numérotées à partir de 1. Nous prenions des notes abondantes. Il n'était pas rare qu'à la fin du cours nous constations que, lui et nous emportés par sa fougue, il avait sauté le 1 du Ab ou le 2 du Ca et qu'il manquait donc un épisode ou un aperçu à son histoire de la Révolution française. Ce n'était pas bien grave. La République avait quand même triomphé à Valmy.

Il y avait du patriotisme dans ses mots et dans sa voix. Le ton montait un peu plus quand il établissait des comparaisons entre la Révolution et la Résistance, célébrant toutes les façons de s'opposer à la tyrannie. Il n'y a pas d'anachronismes dans la conquête des libertés.

Peut-être Philippe Viannay parlait-il un peu de lui quand il évoquait Dumouriez et Kellermann, vainqueurs des Prussiens ?

Bifteck frites

L'admiration et le respect pour Julien Gracq étaient quasiment unanimes. Et quand un de ses livres ne paraissait pas être aussi remarquable que *Le Rivage des Syrtes*, *Un balcon en forêt* ou *Lettrines*, cela était plus suggéré que dit franchement. Aussi grande est la stupéfaction quand on lit ceci sous la plume de Dominique Fernandez à propos de *Autour des sept collines*, de Gracq, ouvrage sur Rome : « Les jugements sont aussi étriqués que les clichés abondants. N'émergent de cette pauvreté que quelques jolies pages (...). Le reste se déshonore par une suffisance imbécile », *Le Piéton de Rome*.

Plus loin, Julien Gracq est comparé à M. Perrichon et traité de « petit provincial à la recherche de son bifteck frites ». Fichtre !

Cela m'a rappelé mon étonnement, souvent mon indignation, quand, préparant un essai, *Les Critiques littéraires* (1968), j'avais découvert dans les archives des boules puantes d'un écrivain à un autre envoyées. La métaphore est particulièrement juste à propos d'Henri de Régnier : « Pour suivre

Céline en ce "voyage au bout de la nuit", mettons des bottes d'égoutier et bouchons-nous le nez. »

De Léon Bloy : « Arthur Rimbaud et Stéphane Mallarmé sont des poètes immobiles et solidement assis dans la même pagode d'imbécillité parfaite. »

De Barbey d'Aurevilly : « M. Émile Zola croit qu'on peut être un grand artiste en fange comme on peut être un grand artiste en marbre. Sa spécialité, à lui, c'est la fange. Il croit qu'il peut y avoir très bien un Michel-Ange de la crotte. »

Jean de Gourmont, écrivain comme son frère Remy, après lecture du *Corydon*, d'André Gide : « La littérature des pédérastes est une littérature féminine, dépourvue de cette auto-érection cérébralement virile qui constitue peut-être la puissance créatrice. » Le « peut-être » mérite d'être souligné...

Jules Lemaître : « La mort de Paul Verlaine n'est qu'un incident de la vie de Paris, ce n'est pas une date littéraire. »

L'histoire littéraire a rendu ridicules ces jugements assassins. Ce qui cependant me choque le plus, ce n'est pas l'erreur et la bêtise, mais la méchanceté, la hargne d'un écrivain vis-à-vis d'un autre. Que l'on n'apprécie guère le talent d'un confrère, qu'on éprouve le désir de le faire savoir, pourquoi pas. Encore faut-il ne pas se tromper et surtout ne pas exprimer son opinion avec suffisance et une cruauté qui, avec le temps, se retourne contre son auteur.

Les écrivains devraient laisser aux journalistes et critiques littéraires l'usage de la férocité dans les journaux et revues. Mais, le succès aidant, bien des écrivains sont sollicités, régulièrement ou à l'occasion, pour exprimer dans la presse des jugements sur leurs concurrents. (« Un écrivain ne lit pas ses confrères, il les surveille », Maurice Chapelan). Il y a alors autant de danger à se répandre en dithyrambes qu'en sarcasmes.

Dominique Fernandez échappe à ce reproche parce que son texte est extrait d'un livre publié vingt-sept ans après celui de Gracq. Il n'a pas été écrit à chaud, commandé par un rédacteur en chef impatient. L'amoureux de Rome avait au contraire eu le temps de réfléchir à sa réponse à celui qui n'avait pas succombé aux charmes de la Ville éternelle et, surtout, des Italiens. Les années n'avaient pas entamé sa colère.

Tout de même, faire de Julien Gracq « un petit provincial à la recherche de son bifteck frites », c'est d'une saignante méchanceté.

Les baisers restés sur les lèvres

Mais qu'est-ce que tu attends pour l'embrasser ? Allez, vas-y, Franz ! Profite de cette nuit à la belle étoile dans les ruines de Palmyre, profite surtout de ce que vos corps vont venir l'un contre l'autre sous les couvertures pour pousser ton avantage. La bouche de Sarah est là, à quelques centimètres de la tienne. Elle attend que tu te décides, elle espère. Ce n'est pas à elle de prendre l'initiative du baiser, c'est à toi. Franz, de l'audace !

Franz Ritter, le musicologue viennois : « Si j'avais osé embrasser Sarah, ce matin-là, à Palmyre, au lieu de lâchement me retourner, tout aurait peut-être été différent ; parfois un baiser change une vie entière, le destin s'infléchit, se courbe, fait un détour », Mathias Énard, *Boussole*.

Bien sûr qu'un baiser peut changer la vie ! Ah, ces intellectuels, ces érudits qui ont le ciboulot bourré de thèques (bibliothèques, pinacothèques, cinémathèques, etc.), qui ont une connaissance encyclopédique des labyrinthes de l'âme, et qui découvrent sur le tard qu'un baiser peut chambouler nos parties de colin-maillard.

Qui n'a pas le regret d'un baiser qui n'a pas été donné, soit de crainte qu'il ne soit mal reçu, soit par peur de ses conséquences ?

Qui ne s'en veut pas de s'être dérobé d'abord au plaisir, puis à l'aventure ?

Ma voiture était arrêtée à cinquante mètres de la gare Montparnasse. Dans un quart d'heure, D. irait prendre son train. C'était maintenant ou jamais. Il me semblait que l'envie de l'embrasser me gonflait les lèvres. De ma bouche sortaient des mots qui se bousculaient ; de la sienne ils s'échappaient avec plus de maîtrise. Un baiser nous réduirait enfin au silence. L'éloquence muette des baisers. Mais c'était trop tôt. Ou trop tard puisque nous ne nous reverrions peut-être pas. Ou trop risqué, ce baiser décoché à la dernière minute comme une flèche perdue, justifiant la fin de l'histoire. Ou trop désinvolte. Ou trop romantique. Ou trop cynique. Ou trop malin. Ou trop banal. La seule réaction de sa bouche à l'audace de la mienne – qu'hélas je n'envisageais pas, alors que c'était à l'évidence la plus probable, tant son visage à côté du mien à l'avant de la voiture montrait de signes de connivence – était une réaction de stimulante participation. Comment expliquer ce défaitisme ? Cette lâcheté ? Une envie impérieuse, comme paralysée par sa propre force, peut provoquer l'inaction, c'est ainsi.

Même si nous eûmes par la suite la chance de nous revancher d'abondance de la carence dont je m'étais rendu coupable, je continue de regretter ce baiser devant la gare Montparnasse resté stupidement sur mes lèvres. Comme je déplore ceux que je n'ai pas osé prendre aux jeunes filles de mon âge. Leur prudence n'avait d'égale que ma pusillanimité. À cette époque préhistorique de la sexualité, elles tenaient pour certain qu'ouvrir la bouche à la langue d'un garçon, c'était dès ce moment courir le risque de se retrouver enceintes. Les refus n'étaient pas tous de coquetterie ou d'indifférence.

Les baisers échangés n'en étaient que plus appréciés. Pour les générations suivantes, ils deviendront banals. Ils ne seront souvent que des façons un peu appuyées de faire connaissance. Les préliminaires conventionnels du passage aux choses sérieuses et urgentes du lit. Des baisers comme des papillons alors que dans ma jeunesse ils étaient les fleurs.

Encore fallait-il ne pas rater le premier baiser, si important, qui deviendrait ou non mémorable. À cet égard, les garçons et les filles nés et grandis dans les vignes ont l'avantage d'avoir appris dans les dégustations à utiliser savamment leur bouche. Ils savent faire rouler le vin sur la langue, en imprégner leurs papilles. Avec de plus en plus de maîtrise les lèvres s'ouvrent à l'envie et se ferment sur le plaisir. La cave est la salle de gymnastique des muscles labiaux. C'est pourquoi les premiers baisers des jeunes gens des régions viticoles sont plus réussis que les premiers baisers des jeunes gens nés et grandis dans les régions céréalières ou d'élevage. Quant à ceux des villes, les pauvres…

Comme Michel Tournier

Michel Tournier, *Le Vent Paraclet* : « J'ai été aussi bon étudiant que mauvais lycéen. » Moi de même. Mais sans faire le clown comme Tournier, ce qui lui valut d'être souvent renvoyé des établissements scolaires. Il faut du courage ou de l'inconscience pour moquer les profs en les imitant. Il faut surtout supporter très mal « l'oppression de la société policée des adultes » pour prendre le risque de les provoquer par la dérision. Je n'étais ni heureux ni malheureux, ni aplati ni révolté. J'ai été un collégien fade, puis un lycéen quelconque. Avec des notes dans la moyenne ? Non, un peu en dessous. Dans le ventre mou de la classe, de la sixième à la terminale.

Je ne jouissais d'aucune considération, encore moins du prestige des premiers et des cancres. Les premiers étaient pour moi inaccessibles (sauf en orthographe, ce qui était déjà anecdotique). Les cancres m'attiraient et me faisaient peur. Leur refus du moindre effort ou leur inaptitude à se remplir la tête de chiffres et de mots les auréolait de noir. La plupart étaient costauds, insolents, et leur marginalité revendiquée plaisait aux filles. Ils étaient de toute façon plus rigolos que les fortiches en maths.

Michel Tournier traite ses professeurs de « pantins ». Il a gardé le souvenir de leur laideur et des ridicules de leur comportement. « Peut-être ce métier d'enseignant a-t-il plus qu'un autre pour effet d'abîmer les gens qui l'exercent. (...) Il est possible que l'autorité d'un maître sur un groupe d'enfants amoche à la longue son personnage et sa personnalité. » Les enseignants ne lui ont pas tenu rigueur de ses commentaires désobligeants à leur égard, l'invitant très souvent à répondre aux questions de leurs élèves. Lui aimait beaucoup ça.

Il disait que le meilleur lecteur est un enfant de douze ans. On peut en douter. Excessif dans ses jugements sur les professeurs et sur les élèves, à l'évidence Michel Tournier préférait les enfants aux adultes.

Le souvenir que j'ai gardé de mes profs ne me permet pas d'instruire contre eux un procès en laideur ou en ridicule. Que des hommes ! Plutôt sympathiques – à l'exception d'un arrogant professeur d'anglais dont je souhaitais la mort. Ils ressemblaient à des parents d'élèves et les parents d'élèves ressemblaient à des professeurs. Tout ce joli monde, possesseur de l'autorité et du savoir, était somme toute bien ennuyeux. Si la rêverie, les vagabondages de l'esprit, les fantasmes les yeux ouverts avaient constitué une épreuve du baccalauréat, il est certain que j'aurais décroché un 20 sur 20. Alors que j'ai dû m'y prendre à deux fois pour en passer avec succès la première partie.

Non, mes professeurs ne sont pas responsables de mon médiocre parcours scolaire. Mes mauvais génies avaient pour noms football, ping-pong, flipper, baby-foot, plus un invincible tropisme au métier de songe-creux.

Et puis, ô miracle, étudiant en journalisme à Paris, me voici parmi les meilleurs, premier surpris de capacités insoupçonnées, de mon plaisir féroce à apprendre. Je ne rêve plus le jour ni même la nuit parce que ma tête, jamais aussi souvent sollicitée et autant remplie, est fatiguée. Je découvre le bonheur des intuitions gagnantes, des observations judicieuses et des raisonnements qui emportent l'adhésion. Le choix des mots est un sport que je pratique de plus en plus en professionnel. J'éprouve enfin les délicieux tourments de l'écriture.

Comment expliquer que le médiocre lycéen soit devenu un étudiant doué ?

L'attractivité des matières enseignées n'y était pas pour rien, bien sûr. Non plus qu'une maturité qui avait traîné en route. Une clairvoyance tardive m'indiquait que j'avais trouvé mon chemin. Il passait par Paris, à 450 kilomètres de Lyon, loin du cocon familial, des copains, des matchs de football, des bals – on ne parlait pas encore des « sorties en boîte » –, des habitudes, des tentations, d'une indolence irréfléchie et bien commode.

« Il n'y a de bon étudiant que celui qui peut, qui sait, qui aime travailler *seul.* » Michel Tournier souligne le mot seul. Pour la première fois de ma vie j'étais, en effet, seul. Et heureux de l'être, sans en avoir eu le désir mais en en découvrant les avantages. J'étais maître de mon temps et, en dehors des cours au Centre de formation des journalistes (CFJ), maître de mon agenda. La solitude fournit beaucoup plus de lunettes pour comprendre le monde que le blablabla avec le perpétuel cercle des familiers. Dans ma petite chambre d'étudiant, il me semblait que j'avais enfin pignon sur rue.

Désormais, la compétition entre étudiants ne me faisait pas peur. Ce que j'avais appris des matchs de football et des parties de tennis de table – la volonté, l'opiniâtreté, la hardiesse, le goût de la victoire – m'était resté intact, disponible. La moitié de la classe ne passerait pas en seconde année. Je serais de la bonne moitié. Les doutes et les pusillanimités du lycéen avaient disparu.

Pour la télévision

Fabrice Luchini : « On ne peut rien faire comprendre à la télévision, rien faire passer : la télévision ne retient que l'énergie, éventuellement la drôlerie, en un mot la théâtralisation », *Comédie française*.

La télévision ne serait donc que de l'esbroufe, de la tchatche, une gestuelle bodybuildée, de la frime calorique, une sorte de miroir grossissant aux stupides alouettes ? Tout dans l'apparence, rien dans la vérité, encore moins en profondeur. D'un vide sidéral n'émergerait de temps en temps que de la « drôlerie » ?

Fabrice Luchini sait mieux lire Céline ou Nietzsche que regarder et écouter la télévision. Car, dans le cas où le petit écran ne serait pas totalement indigne de nos réflexions, on peut juger son poulet raide et injuste. Cela me rappelle le mépris aristocratique dans lequel certains intellectuels des années 70 tenaient la télévision.

Qu'elle soit trop souvent creuse ou vulgaire, oui, certes. Mais de là à croire qu'on n'y apprend rien parce qu'on ne peut rien y faire passer ! Toutes les émissions ne sont pas de plateau où les mots, tels des vols d'étourneaux, ne se posent que pour aussitôt repartir dans le vent. Il y a dans les journaux télévisés, les magazines de reportages et d'enquêtes, les documentaires, de quoi alimenter notre curiosité quand elle ne se limite pas à notre petite personne. L'offre est considérable et il ne tient qu'à nous de choisir ce qui nous enrichit ou nous dérange plutôt que ce qui nous abêtit ou nous endort.

La télévision ne se limite pas à diffuser des informations et des opinions. Elle crée du désir, et c'est à mes yeux son mérite principal. Des désirs de voyages, de lectures, de cinéma, de sport, et même des désirs de beauté, d'intelligence, de solidarité, d'aventure, tout simplement des désirs d'autonomie, d'indépendance, de liberté. Oh, pas chez tout le monde, loin de là ! Dans une minorité, chez de rares esprits ouverts. La télévision ne créerait-elle du désir que chez un téléspectateur sur mille qu'elle légitimerait cette « énergie » populeuse perçue et dédaignée de Fabrice Luchini.

Lui-même a su transmettre dans des magazines de plateau – les miens en particulier – des désirs de lectures ou de spectacles. Il a réussi à « faire passer » de la curiosité pour La Fontaine, Molière ou Nietzsche. Et combien d'autres étourneaux se posent suffisamment longtemps pour inciter les téléspectateurs à les suivre dès le lendemain dans les librairies. Dans les cinémas, les théâtres, les musées, les salles de concerts ou les music-halls. Oui, oui, pas assez, j'en conviens. La télévision pourrait faire beaucoup mieux. Elle n'y sera pas encouragée si ses détracteurs ou ses incroyants se recrutent parmi les meilleurs serviteurs de la culture.

Pouce !

Dans son roman posthume *M'man*, Claude Durand évoque l'humiliation et la détresse d'un garçon qui pisse au lit. Souvenirs de son enfance ? Le pire était la publicité qui en était faite avec l'étendage au jardin des draps « où l'urine séchée dessinait la géographie de la honte ».

Je n'ai pas souffert d'énurésie, mais je me souviens d'une petite fille accablée par son incontinence à qui ses tuteurs me donnaient en exemple à suivre. Elle aurait bien voulu, la pauvre ! Incapable d'un conseil utile, je voyais bien qu'elle me détestait chaque matin un peu plus parce qu'elle avait droit au refrain sur le petit garçon modèle.

Qui n'en était pas un. Car j'avais renoué, vers l'âge de dix ou onze ans, avec la succion du pouce de ma main droite. Mon Dieu, qu'il était bon ! Tendre, onctueux, bien rond, d'un goût compoté. Ah, le contraste entre le moelleux des lèvres sur la peau humide et le lissé de l'ongle auquel la langue se frottait ! J'avais retrouvé un plaisir sensuel tapi dans ma mémoire. Depuis combien d'années ? Cinq ou six, pas davantage, ma mère ayant mis fin à cette autofellation digitale. À l'époque, elle ne la jugeait déjà plus de mon âge. Chaque soir, elle mettait un zeste de moutarde sur le doigt de la tentation, puis le recouvrait d'une poupée. Si, pendant la nuit, le morceau de tissu se détachait, le condiment empêchait la récidive. Mon pouce devint infréquentable. Nous nous éloignâmes l'un de l'autre. Premier amour brisé par les convenances.

Le pouce droit interdit, j'avais essayé de me rabattre sur le gauche. Quoique semblable à son alter ego, il n'avait ni goût, ni odeur, ni séduction. Il n'avait pas été patiné et bonifié par l'usage. Ainsi voit-on des hommes s'amouracher d'une sœur jumelle, celle-ci et pas l'autre, quoiqu'elles soient parfaitement identiques.

Et voilà qu'à la veille de l'adolescence j'avais repris ma vieille liaison. Juste avant la puberté. C'était peut-être l'explication. Je crois plutôt que, pensionnaire d'un établissement scolaire, je souffrais, surtout le soir, dans le vaste dortoir, de l'absence de mes parents et de mon frère. Je manquais d'affection. Ami de ma petite enfance, le pouce s'était rappelé à moi. Disponible, discret, dévoué, il était, si j'ose dire, à portée de main. J'en profitais de nouveau, retrouvant le plaisir interdit, déjà nostalgique, de la succion. J'interrompais celle-ci de temps à autre pour respirer l'odeur capiteuse de la peau frottée à la salive.

Mon « vice » découvert, je me suis senti tellement humilié par les moqueries, si ridicule, si déprécié, que je mis virtuellement de la moutarde et une poupée à mon pouce chéri. L'orgueil rendit cette seconde rupture moins pénible que la première dans laquelle le renoncement au plaisir n'avait d'autre justification que l'obéissance.

Que d'os ! Que d'os !

Son audace ne mérite que des éloges. Maurice Girodias a été le premier éditeur au monde à avoir osé publier *Lolita*, roman partout interdit. Peu importe que ce chef-d'œuvre ait été mélangé à des *dirty books*, livres sales à l'érotisme racoleur. C'est à Maurice Girodias que revient le mérite d'avoir fait franchir la porte des librairies à la perverse nymphette de Nabokov.

À part ça, Girodias était un drôle de zigue. Séducteur, hâbleur, menteur, habile causeur, toujours en alerte et en mouvement pour s'enrichir. Sa fille, Juliette Kahane, trace de lui un portrait d'une encre beaucoup plus noire que bleu ciel (*Une fille*). Elle raconte que, devenu le patron du café-théâtre La Grande Séverine, son père, jugeant que le lieu n'était pas assez vaste pour être de bonne rentabilité, avait fait repousser les murs des caves romanes. Chaque nuit, les derniers clients partis, on piochait clandestinement. On remplissait des sacs de terre et de gravats qui étaient évacués à l'aube. Mais que faire des nombreux crânes, tibias et fémurs provenant du cimetière voisin, que les pelles avaient tirés de leur sommeil médiéval ? Ils étaient dispersés dans les poubelles du quartier « par petits paquets bien ficelés » ! Esprit réaliste, Maurice Girodias avait décidément toutes les audaces.

Alors que lui cherchait à se débarrasser de tous ces ossements encombrants, à la même époque les habitants du petit village de Saint-Paul-de-Varces, proche de Grenoble, regrettaient que la gendarmerie leur ait confisqué les ossements mis au jour dans une carrière de la commune. Les mines et la pelle mécanique avaient extrait de la montagne du Saint-Loup des haches, des vases, des bracelets, surtout des crânes, et des os dont on ne savait s'ils étaient d'hommes ou d'animaux, de jambes, de bras ou de pattes. La fièvre de la préhistoire avait saisi ce village du Dauphiné. J'y étais allé voir pour *Le Figaro littéraire*.

Il s'était passé du temps avant que l'annonce de cette découverte parvînt aux autorités du département de l'Isère. Aussi les archéologues amateurs de Saint-Paul-de-Varces avaient-ils eu tout loisir de faire leurs emplettes dans la caverne miraculeuse. Tous les dimanches, armés de pioches, ils sondaient la montagne. C'était la ruée vers l'os. L'un des plus habiles chercheurs était le patron de l'épicerie-café-restaurant-hôtel-jeu de boules du col de l'Arc qui montrait avec fierté à ses clients un cageot plein d'ossements. On le blaguait. On lui demandait s'il avait l'intention de préparer un bouillon d'os. Il laissait dire, convaincu d'être le dépositaire de la science et le magasinier de la préhistoire.

Sur l'explication scientifique de la découverte, le village se divisa. Certains, bientôt confortés par les experts, affirmaient qu'il s'agissait d'une nécropole datant de l'âge du bronze ; d'autres, historiens du terroir, colporteurs des événements et faits divers de la région, tenaient pour certain que tous ces hommes, femmes et animaux avaient été ensevelis sous une avalanche. N'avait-on pas retrouvé les quatre premiers corps debout, dans la position verticale et glorieuse de l'éclaireur ou de la sentinelle ? Et pourquoi ne serait-ce pas cette noce engloutie par la montagne dont on se transmettait le récit de génération en génération ? Oui, pourquoi pas, mais depuis quand ? Nul ne le savait.

La fièvre de l'archéologie est retombée aussi vite qu'elle était montée. Quelques habitants de Saint-Paul-de-Varces ne regardaient cependant plus la montagne comme avant. Elle leur paraissait à la fois plus humaine et plus mystérieuse, habitée en quelque sorte. L'un d'eux m'a dit, fixant les hautes murailles du Vercors : « Des crânes, des bracelets, des vases, là-dedans il y en a encore plein ! Il faudrait creuser... » Dans ses yeux passa un instant le projet de raser le Vercors.

Duras n'aimait pas Colette

Ce n'est pas parce que leurs écritures étaient aux antipodes l'une de l'autre que Marguerite Duras n'aimait pas Colette. Les écrivains fondent souvent leur estime, voire leur amitié, sur des différences plus que sur des ressemblances qui peuvent agacer. Duras détestait Colette. Je l'appris durant notre unique conversation téléphonique qui précéda notre *Apostrophes*, en direct, le 29 septembre 1984.

Encore réticente à l'idée de paraître à la télévision qu'à l'époque elle abominait, mais flattée par ma proposition de tête-à-tête, elle me demanda avec qui je m'étais déjà risqué dans cet exercice.

« Jouhandeau, Nabokov, Simenon, Albert Cohen…

– Des femmes ?

– Marguerite Yourcenar, la seule… »

Silence.

« Mettons que vous invitiez des femmes d'autrefois, des écrivains, bien sûr…

– Louise Labé… Germaine de Staël… Colette… »

Silence.

« Ah, Colette ! Vraiment ? »

Le ton était ironique. J'avais commis une gaffe. On m'avait dit que Duras était très soupe au lait. Qu'un rien pouvait la fâcher. Ce n'était pas rien, Colette. Pour Duras, si.

« Colette, je vous l'abandonne », me dit-elle, me tirant de mon embarras.

Trente ans après, dans *Le Livre dit* (2014), entretiens enregistrés, en 1981, à Trouville pendant le tournage d'*Agatha*, Marguerite Duras parle du féminisme des hommes. Tout à coup, elle s'en prend à Colette : « Les hommes sont féminins comme on l'était en 1910 ; tandis que nous sommes féminines en 1981 ; ce n'est pas du tout pareil. Ils sont féminins comme Colette. Qu'est-ce que tu as à en foutre et moi aussi de Colette ? On n'a rien à en faire, du tout. C'est-à-dire, c'est eux qui la remettent à la mode. »

Une note de l'éditrice du livre, Joëlle Pagès-Pindon, révèle pourquoi Duras, qui n'appréciait ni les romans ni les articles ni le féminisme de Colette, lui manifestait autant d'hostilité. En 1964, critique littéraire au *Monde*, Jacqueline Piatier avait fait un parallèle entre ces deux championnes de la littérature : « Comme Duras est loin de Colette, de sa santé, de son équilibre, de sa lucidité, de son goût de la vie, des êtres, de la nature ! » On imagine combien cette comparaison avait encoléré Duras. Elle n'a pas pardonné à la journaliste « et son dédain pour l'œuvre de Colette s'en est trouvé fortifié ».

Couvrez ce sein…

Paul Léautaud : « Elle avait un corsage un peu ouvert. Comme elle se penchait vers moi pour me parler, je voyais ses seins. Je lui ai dit : "Tu pourrais bien ne pas montrer tes seins comme cela. – Vraiment ? On les voit ?" », *Journal particulier 1935*.

Marié, je me suis sérieusement posé cette question : ne devrais-je pas renoncer à regarder dans les décolletés entrouverts ou béants ? Le temps n'était-il pas venu de détourner les yeux des seins qu'avec une louable générosité les femmes offrent à leur vis-à-vis, surtout quand les aléas de l'existence ou les contraintes du moment les obligent à se pencher ? Allais-je enfin devenir *sérieux* ?

Parce que, avant, surtout pendant l'adolescence – j'appartiens à la dernière génération de la farouche décence, de la clôture, du secret –, j'étais dans un safari permanent. Toutes les occasions de zyeuter étaient à saisir. Je n'hésitais pas à faire un pas de côté pour être mieux placé, bien dans l'axe de l'adorable buste incliné. Je ne lâchais pas du regard des poitrines cachées, mais dont je pressentais en expert des étoffes qu'une inclinaison soudaine, à ne pas rater, révélerait l'amorce des rondeurs.

Oh, mon Dieu, les seins opulents des vendangeuses courbées au-dessus des ceps ! Les décolletés des vendeuses de chaussures accroupies à mes pieds (« Dans ce modèle-là, j'aimerais essayer la demi-pointure en dessous et, pendant que j'y suis, pourquoi ne pas essayer d'autres couleurs ? »). Les petits seins des jeunes filles entr'aperçus dans leurs légères robes d'été.

Comme je détestais les femmes hypocrites et bégueules qui, avant de se pencher, mettaient une main sur l'ouverture de leur corsage ou de leur robe !

Marie Dormoy, maîtresse de Léautaud, s'étonne qu'on voie ses seins quand elle se penche. Coquetterie et rouerie probablement. Comment croire que les femmes ignorent qu'elles en montrent davantage quand elles plient le buste ? Preuve en est que certaines se prémunissent d'un geste de censure. Il est difficile d'imaginer que les autres sont des étourdies ou des innocentes. Soit elles assument avec élégance ces accrocs à leur pudeur, soit elles misent sur leur décolleté et ses profondeurs d'aubaine pour accroître leur séduction.

Si elles étaient rares dans ma jeunesse, les femmes sont nombreuses aujourd'hui, il est vrai, qui se fichent du regard des hommes et des femmes. L'essentiel est qu'elles se sentent bien, à l'aise, libres, belles, dans leurs vêtements, ouverts ou fermés.

Un jour qu'avec un peu trop d'insistance j'avais contemplé les seins ravissants d'une femme occupée à enlever ses chaussures et à les remettre, elle se redressa en me disant : « Il ne faut pas vous gêner ! »

Un instant décontenancé, je me suis vite repris :

« Je n'ai fait qu'admirer.

– C'est très gênant pour moi.

– Quand la beauté s'affiche, je la regarde, dis-je avec l'espoir que le compliment la calmerait.

– Je ne suis pas une affiche, je suis une femme, avec sa pudeur, me répondit-elle, toujours courroucée.

– Pudeur, pudeur… Vous avez un généreux décolleté et quand vous vous penchez, il est encore plus généreux !

– Vous n'êtes pas obligé de regarder, vous pouviez tourner la tête…

– Ah, ça, madame, c'est impossible ! Vous m'en demandez trop.

– Un gentleman n'aurait pas regardé.

– Hélas, je ne suis pas un gentleman. Je ne suis qu'un pauvre homme avec ses yeux, ses désirs, sa nature faible… »

Ce serait en effet faire violence à ma nature, et beaucoup d'hommes à la leur, que de ne pas jeter un œil, même furtif, sur les tendres cachettes ouvertes soudainement à notre concupiscence. Comment résister au tropisme de la libido ? Surtout, pourquoi refuser le plaisir de l'instant ? Aujourd'hui, il y a abondance, les seins des femmes se donnant à voir au cinéma, dans les magazines, dans la publicité. Photographies exquises, films à scènes érotiques. Mais la vision *in vivo* est irremplaçable. Surtout quand elle est partielle, aguichante, prometteuse, apportant autant de frustration que de satisfaction.

J'ai donc continué de regarder ce que la chance me donnait à voir. En ne faisant cependant plus le pas de côté pour être bien dans l'axe. Pas sûr que j'aie eu raison d'avoir cédé à la bienséance.

À l'étiage de Maurice Druon

Alphonse Boudard : « Vous reste alors l'Académie pour les écrivassiers. J'ai beau avoir œuvré de plume de mon mieux pour égayer la langue française… je me vois pas doré sur tranche avec un bitos de croque-mort… une épée qui ne peut plus servir à tuer l'ennemi. Il me semble d'ailleurs que mes origines délictueuses, toutes les fioritures judiciaires m'interdisent d'espérer une fin de règne dans un fauteuil du quai Conti », *Mourir d'enfance.*

Pour ce livre aussi émouvant qu'amusant, Alphonse Boudard n'est pas entré à l'Académie française, mais en a reçu, en 1995, le grand prix du roman. Choix judicieux pour lequel Jean Dutourd s'était beaucoup dépensé. Le secrétaire perpétuel de l'illustre compagnie était alors Maurice Druon. On ne l'a pas entendu protester contre le vocabulaire argotique d'Alphonse Boudard. Pourtant les mots *glavioter, vioque, futal, coaltar, louftingue, blase, pogne, mézig*, etc., étaient assez nombreux pour irriter son purisme obsessionnel. *Mourir d'enfance* – beau titre – avait reçu l'onction académique, Boudard se marrait et Druon n'a pas mouftè.

En revanche, quand j'ai eu la très légère audace d'employer quelques mots familiers dans le texte de la dictée de la finale des Dicos d'or de 2003, Maurice Druon se fâcha tout rouge. J'avais commis le crime lexical à l'hôtel de ville de Paris, en présence du maire Bertrand Delanoë et de deux maires de villes francophones qu'il avait invités : Jean-Paul L'Allier, Québec, et Nicéphore Dieudonné Soglo, Cotonou. Tous trois, très bath, se sont bien amusés.

Bath est l'un des mots qui avaient choqué Maurice Druon. Il y avait aussi un *pep d'enfer*, *la pêche*, *à tout berzingue*, *tchatche* et des *meufs très vaches*. La majorité de ces mots, tous dans les deux dictionnaires de référence, le Petit Larousse et le Petit Robert, figuraient dans la partie junior de la dictée.

Hélène Carrère d'Encausse, qui avait succédé à Maurice Druon au secrétariat perpétuel de l'Académie, était présente à l'hôtel de ville. Chaque année, elle faisait la dictée de la finale. Ainsi manifestait-elle, non sans péril et courage, son soutien à la diffusion, deux fois par an, d'une dictée sur une grande chaîne de télévision et à une ludique popularisation de l'orthographe.

Le jeudi suivant, lors de la réunion hebdomadaire des académiciens, Maurice Druon reprocha vertement – le vert est la couleur des broderies de leur habit d'apparat – à Hélène Carrère d'Encausse de n'avoir pas quitté avec éclat l'hôtel de ville pour protester contre la présence dans la dictée de mots qu'il qualifia plus tard dans une chronique du *Figaro* d'« ordures ».

Dans cet article, le « méfait » dont je m'étais rendu coupable était mêlé à la dénonciation chez d'autres d'attentats contre le français et autres délits de syntaxe, de grammaire ou de vocabulaire. Pour Druon, tous les mots qu'à ses yeux j'avais eu le tort d'employer étaient argotiques. Or un seul l'était. Les autres étaient classés « familiers » par les dictionnaires.

Dans ma réponse, publiée par *Le Figaro*, je reprochai à Maurice Druon de se tromper d'étage. « Au familier, il se croit à l'argotique ; à l'argotique, au populaire ; au populaire, au vulgaire ; au vulgaire, au trivial. Maurice Druon n'est jamais à la bonne hauteur parce qu'il est politiquement convaincu que le peuple est toujours plus bas. »

Cette métaphore de l'étage m'était venue à l'esprit parce que dans sa diatribe l'académicien avait employé le mot *étiage*, commettant ainsi, ô chance ! ô bonheur ! ô joie ! ô miracle ! merci petit Jésus, un barbarisme... Oui, Druon, coupable d'un méchant barbarisme ! Il avait en effet écrit que le français s'était autrefois « élevé à cet étiage de clarté, de précision, de subtilité, d'élégance, de charme, de politesse (...) qui en a fait, longtemps, la langue universelle ». Or l'*étiage* est « le niveau le plus bas atteint par un cours d'eau ou un lac » (Dictionnaire de l'Académie française, 9e édition, tome 2, page 44). Druon avait dit le contraire de ce qu'il voulait dire. Je me gardai bien dans ma réponse de faire des plaisanteries de bas étiage, expression qui eût été fautive puisque pléonastique...

Le seul différend que j'avais avec mon ami Jacques

Chancel, c'était à propos de Maurice Druon. Ils étaient eux aussi amis. Il m'assurait que dans le privé il était drôle, charmant, simple, alors que, dans ses manifestations publiques comme dans son écriture, il m'apparaissait pompeux, plein d'enflure et d'arrogance, tel un notable réactionnaire porté au flafla (fam.) et enclin à se gober (arg.).

Que Druon défendît la langue française contre ses corrupteurs, quoi de plus logique. Il était dans son rôle. Mais il le faisait avec une telle condescendance, invoquant Quintilien et Vaugelas du haut de son prestige académique, qu'il agaçait plus qu'il ne convainquait. Il tenait les lexicographes du Petit Larousse et du Petit Robert pour de cyniques malfaiteurs qui font commerce des verrues qu'ils ajoutent chaque année au français. Ou pour des sauvageons de banlieue qui ne cherchent qu'à dénaturer la langue en y introduisant des mots sans papiers.

Si elle ne veut pas se scléroser, peut-être mourir, une langue doit frémir, bouger, s'ouvrir, accepter l'usage, perdre des mots et des expressions, s'enrichir d'autres. Elle doit vivre comme un grand corps musclé qui s'oxygène, qui retient ce qui lui convient et refuse ce qui l'appauvrit ou l'enlaidit. Un corps qui attaque et se défend, et non pas un vieil et solennel habit naphtaliné (néologisme).

Un ami bienveillant et fidèle

Charles Bukowski : « Non, je n'ai pas vomi à la télé nationale, en France. Je me suis juste salement soûlé, ai dit deux ou trois trucs, suis parti brusquement et ai sorti mon couteau devant un garde », lettre à Hank Malone, 15 octobre 1979, *Correspondance 1958-1994*.

Ayant appris qu'aux États-Unis Bukowski avait poussé la provocation jusqu'à vomir, en direct, sur un micro, je redoutais qu'il fît de même à *Apostrophes*, le 22 septembre 1978. C'est pourquoi, quand il commença d'émettre des borborygmes qui empêchaient les autres invités de parler, je le surveillai, prêt à l'empêcher de porter une main à sa bouche pour rendre le sancerre qu'il venait de siffler en abondance au goulot de la bouteille... On imagine le scandale !

Ce n'était pas facile de conduire l'émission tout en gardant un œil sur le loustic. Aussi, quand il se leva en titubant pour quitter le plateau, je ne le retins pas. Je ne l'ai pas chassé, comme certains l'ont prétendu. Mais je n'étais pas fâché qu'il déguerpît et laissât les autres écrivains s'exprimer.

La scène du départ de Bukowski, souvent rediffusée, a

fait de cette *Apostrophes* la plus connue et la plus commentée du grand public. Elle n'est évidemment pas, et de bien loin, ma préférée. J'y reviens parce que le vin en a été l'invité inattendu et décisif, comme, à ma surprise, il l'a souvent été dans ma vie.

Ainsi, lors de mon engagement comme stagiaire au *Figaro littéraire*. J'ai été incapable de répondre aux questions sur les écrivains et sur les livres que m'a posées le rédacteur en chef, Maurice Noël, sondant ainsi une culture souffreteuse et une apparente inaptitude à faire mon trou dans le journalisme littéraire. Je dois la chance d'avoir été retenu au beaujolais. Apprenant au détour de la conversation que ma mère possédait quelques hectares dans ce vignoble, il m'a demandé si, contre un chèque, il pourrait en recevoir de quoi éponger une soif qui remontait à son passage à Lyon au début de la guerre. C'était plus facile à satisfaire que de dire qui avait écrit les mémoires de l'empereur Hadrien. En somme, j'ai commencé ma carrière dans le monde des lettres comme négociant en vin.

J'ai raconté en détail cette scène déterminante dans le *Dictionnaire amoureux du vin*. Ce livre est aussi un miracle. J'avais deviné qu'au cours du déjeuner auquel Olivier Orban m'invitait, le patron des éditions Plon allait me demander d'écrire un dictionnaire amoureux pour la collection dirigée par Jean-Claude Simoën. Ce serait probablement le football et je refuserais. Quoi écrire qui n'ait déjà été mille fois raconté sur ce sport, sa technique, ses joueurs-vedettes, ses supporteurs, ses matchs historiques ? Mais ce fut le vin. De surprise je faillis renverser mon verre de bordeaux. C'était une bonne idée qui ne me serait jamais venue à l'esprit. J'entrevis tout de suite le plaisir que j'aurais à raconter mes vendanges et, surtout, à faire l'éloge du plus mythique et culturel des produits de la terre. Quoique de l'année 2006, qui n'est pas un grand millésime, le livre a été un succès.

Enfin, élu à l'académie Goncourt, j'appris avec joie et fierté que mon couvert avait été celui de la sensuelle et gourmande Colette. Après Baudelaire, elle est l'écrivain qui a rassemblé les mots les plus justes pour célébrer le vin.

Et puis, remontant la courte liste de mes prédécesseurs, j'y ai découvert le nom de Léon Daudet. Ce vorace bouffeur de cuisine, de mots, d'idées, de polémiques, de duels, de littérature, est l'auteur d'une phrase célèbre, souvent mal citée : « Lyon est la capitale de la cuisine française. En dehors du Rhône et de la Saône, elle est parcourue par un troisième fleuve, celui-ci de vin rouge, le beaujolais, et qui n'est jamais limoneux, ni à sec. » Je vis dans ces mots une sorte d'adoubement à un siècle de distance.

Il n'est pas donné à tous les académiciens Goncourt d'avoir été légitimés au couvert qui porte leur nom au moins autant par le vin que par la littérature.

Cette présence du vin dans mon existence, ses interventions bénéfiques m'ont toujours à la fois amusé et intrigué. Ce ne sont pas les deux petites vignes qui bordent la maison de famille, côtés sud et ouest, qui justifient une protection spéciale de saint Vincent, patron des vignerons. Je n'ai jamais voulu passer pour l'un d'entre eux, refusant quand c'était à la mode de me constituer un domaine. Quoique serviteurs dévoués, mon nez et mon palais ne possèdent pas les capteurs surpuissants des sommeliers. Pourtant Bacchus semble me tenir en estime, m'ayant fait gravir assez rapidement tous les grades de la Confrérie bourguignonne des chevaliers du tastevin.

Un samedi soir de camaraderie en liesse, nous nous étions cotisés pour que, nous faisant un prix collectif, une sorte de gitane nous tire les cartes dans un café de Richelieu-Drouot. Nous n'étions encore que des étudiants curieux et inquiets de leur avenir. Les cartes que j'alignai, l'ordre dans lequel elles étaient sorties du paquet montraient clairement, selon la pythonisse, que j'étais un homme de la terre, du signe du Taureau – c'était exact –, et que je ferais fortune dans les céréales ou la vigne, plutôt le vin, précisa-t-elle, oui, le vin, et que je rencontrerais un homme ou une femme qui m'ouvrirait les portes de son domaine très réputé… C'était loufoque et absurde. Mes copains rigolaient. J'ai quand même payé ma part.

Ce n'était ni loufoque ni absurde. Il y avait du vrai. Je remplis mon verre et le lève pour remercier successivement ma mère, son vigneron Julien Dulac, Maurice Noël, Charles Bukowski, Olivier Orban, Colette et Léon Daudet.

Quatrains littéraires

Antoine Blondin a ainsi résumé l'*Odyssée* : « Ulysse, ta femme t'attend. » Difficile de faire plus court. Demande-t-on encore aux collégiens et aux lycéens de résumer un roman ou un essai ? Exercice pas aussi simple qu'il y paraît, souvent le secondaire ou le superflu n'étant pas clairement isolable de l'essentiel. On peut se perdre dans le déroulé des faits ou l'enchaînement des idées.

On avait droit à cinq, dix ou vingt lignes, pas une de plus. Condenser *Le Bourgeois gentilhomme*, *Tarass Boulba*, *Le Rouge et le Noir* ou *L'Art poétique*, c'était comme triturer une grosse boule de pâte à modeler pour en extraire une tête de chat ou un marteau. La Fontaine ayant le génie de la rapidité et de la concision, le résumé de la fable était presque aussi long que la fable elle-même.

C'est le souvenir de ces exercices que j'aimais pratiquer qui m'a donné l'idée de bricoler des quatrains dans lesquels j'évoquerai plus que je ne les condenserai des œuvres célèbres. Non plus à la manière respectueuse du collégien, mais avec la liberté désinvolte et blagueuse du vieux lecteur. On voudra bien me pardonner un certain penchant pour la loufoquerie.

Homère en a assez, il est grognon, il boude.
Ô Troie, ton siège est long, la guerre jusqu'à quand ?
Ayant clos l'*Iliade* sans le cheval gagnant
Homère est licencié par les prods d'Hollywood.

Iliade, Homère, VIIIe siècle av. J.-C.

Sa vieille nounou a reconnu Ulysse
Que, ô dieux ! Pénélope a pris pour un quidam.
Voilà qui démontre que les seins qui nourrissent
Sont plus clairvoyants que la gorge qui enflamme.

Odyssée, Homère,
vers la fin du VIIIe siècle av. J.-C.

De sa bouche énorme, vorace, Gargamelle
m'a roulé un baiser, un patin, une pelle !
Comme elle désirait que nous allions plus loin,
affolé, j'ai caché mon petit saint-frusquin.

Gargantua, François Rabelais, vers 1535.

Notable d'aujourd'hui, Don Diègue l'humilié
n'utiliserait plus le langage châtié
du temps où l'on disait : vous m'avez chanté pouilles.
Moderne, il lancerait : Rodrigue, as-tu des couilles ?

Le Cid, Pierre Corneille, 1637.

Cela faisait longtemps que la gent La Fontaine,
l'agneau, la cigale, les pigeons, la fourmi,
attendaient, qui bêlant, qui roucoulant, que vienne
un drôle d'animal : le disant Luchini.

Fables, Jean de La Fontaine, 1668.

Quand le grand Bossuet, en France si célèbre,
se présenta, humble, devant son Créateur,
il osa cependant lui demander : Seigneur,
qui donc a prononcé mon oraison funèbre ?

Recueil d'Oraisons funèbres, Bossuet, 1672.

Si je cède au désir de monsieur de Nemours
du sexe très banal je suis la créature,
alors qu'amoureuse, repoussant son amour,
je serai unique dans la littérature.

La Princesse de Clèves,
Madame de La Fayette, 1678.

« C'était pendant l'horreur d'une profonde nuit.
Ma mère Jézabel devant moi s'est montrée. »
Racine, me dit-elle, *Athalie* ne poursuis,
ces deux vers suffisent à ta gloire assurée.

Athalie, Jean Racine, 1691.

Quand vous fîtes jouer votre osé *Mahomet*
vous eûtes la chance, monsieur Arouet,
de n'avoir pas fatwa lancée sur votre tête,
pas même injures sur votre site Internet.

Le Fanatisme ou Mahomet, Voltaire, 1741.

Tout le monde il est beau, tout le monde il est bon,
proclamait, souriant, l'optimiste Pangloss,
si aveugle et béat qu'il ne vit pas ce rosse
et roué Voltaire le prendre pour un con.

Candide ou l'Optimisme, Voltaire, 1758.

Je fis cinq enfants à Thérèse Levasseur
et j'en fis davantage à la littérature.
Aux premiers le refus de mon imprimatur,
préférant les seconds dont j'étais seul auteur.

Les Confessions, Jean-Jacques Rousseau, 1782.

Pour ce grand poète, monsieur de Lamartine,
qui, songeur, cultivait près de Mâcon sa vigne,
c'est une humiliation, une infortune, un couac,
de devoir son renom à l'eau triste d'un lac.

« Le Lac », poème des *Méditations poétiques*,
Alphonse de Lamartine, 1820.

D'Artagnan au sommet de la célébrité
non pas dans les quatre mais « Les Trois Mousquetaires ».
Certes, le chiffre est faux, admettait Dumas père,
mon nègre sait écrire et pas du tout compter.

Les Trois Mousquetaires, Alexandre Dumas, 1844.

Vos papiers, jeune homme, votre permis de vivre ?
Avez-vous sauf-conduit, carte d'identité ?
Le fugueur répondit : je n'ai pour qualité
que ce poème obscur, génial, « Le bateau ivre ».

« Le bateau ivre », Arthur Rimbaud,
écrit à dix-sept ans en 1871, publié en 1873.

Au marché de Beaujeu était François Périer,
la veille à la télé, jouant Coupeau l'ivrogne.
Les gens lui demandaient, en lui serrant la pogne,
comment, tellement soûl, l'était déjà sur pied.

Dans *Gervaise*, de René Clément,
d'après *L'Assommoir*, Émile Zola, 1877.

Poète raffiné, sibyllin, de l'onyx,
des faunes, de l'azur, de la glose, du Styx,
des cygnes et des ris, Mallarmé échoua,
si, si, je vous assure, au baccalauréat.

Poésies, Stéphane Mallarmé, 1887.

C'était, je me souviens, chez les Troisgros, à Roanne,
que, lisant, savourant *Du côté de chez Swann*,
j'accompagnais saumon, ris de veau et langouste
de la très fameuse madeleine de Proust.

Du côté de chez Swann, Marcel Proust, 1913.

Thérèse Desqueyroux, de son mari cardiaque
force sur les gouttes pour activer la mort.
Entendez le rire chuchoté de Mauriac
tandis que son âme dit le Confiteor.

Thérèse Desqueyroux, François Mauriac, 1927.

Que moi, dis, cher Solal, tu n'aimeras que moi ?
implore Ariane que la passion soulève.
Cruel, Albert Cohen a déjà fait son choix :
la chair est triste, hélas, au canton de Genève.

Belle du Seigneur, Albert Cohen, 1968.

Peut-être

André Gide : « Je n'écris plus une phrase affirmative sans être tenté d'y ajouter : "peut-être" », *Journal*, 19 juillet 1941.

La date est importante, non à cause de la guerre, mais parce que André Gide a soixante-douze ans. Avec l'âge, il est de moins en moins sûr de ses idées et de ses sentiments, les certitudes l'abandonnent, le doute l'envahit. Les déceptions politiques se sont accumulées. La débâcle de l'armée française ajoutait sûrement à son pessimisme foncier. Mais c'est surtout l'âge qui le contraignait à ne plus être affirmatif, carré, sans réserve, comme il l'avait été souvent durant l'essentiel de sa vie.

La jeunesse ne s'embarrasse pas de peut-être. Pourquoi prendre cette précaution ? On dit ou on ne dit pas. On est catégorique, voire péremptoire. Une restriction paraît être une indécision, un scrupule une faiblesse. Les *peut-être, probablement, vraisemblablement, éventuellement* relèvent de la sagesse. Est-on sage à vingt, trente ou quarante ans ? À soixante-douze ans, oui, c'est bien, c'est mieux.

J'ai fait l'inverse. (Je n'ai pas écrit : j'ai *peut-être* fait l'inverse.) Ma jeunesse a été encombrée de doutes et d'incertitudes. J'affirmais d'autant moins mes idées qu'elles me paraissaient aléatoires. Un beau parleur me faisait changer d'avis. Mes sentiments étaient plus fermes, soumis cependant à des cycles météorologiques. Tous mes peut-être ne découlaient pas, hélas, d'une sagesse précoce, mais d'un manque de confiance et, *peut-être*, de courage.

Avec l'âge, me voilà moins prudent, moins influençable, plus assuré. Non que les peut-être aient déserté ma conversation, mais ils sont beaucoup moins nombreux, et quand ils se pointent sous ma plume ou sur l'ordinateur, je leur demande de justifier leur présence. En biffer est-il un manque de sagesse ?

Il y a aussi que, plus le temps passe, plus je me rapproche du seul jour de la vie, le dernier, d'où sont exclues l'hésitation, la réserve, l'éventualité ou l'exception du peut-être.

La dernière fois

François Nourissier : « Tu t'en souviens, oui ou non, de la dernière fois ? », *À défaut de génie.*

La dernière fois de qui ? de quoi ? à propos de qui ? de quoi ?

Ne fais pas l'idiot. La dernière fois que tu as fait l'amour avec… Pourquoi se souvient-on des premières fois et, plus rarement, des dernières, pourtant plus proches ? Parce que les premières se sont passées dans la fièvre et le plaisir de la découverte, les dernières dans le chagrin ou l'effort si on savait que c'était la dernière fois, dans la routine si on ne savait pas.

Le plus souvent, on ne sait pas. Un virage tout de suite après, une sortie de route, un accident. Parfois, la mort. Ou bien l'un sait et l'autre pas. Arrête la voiture, je descends. Une autre voiture m'attend. Adieu.

Ou au revoir, sait-on jamais. Dans ce cas, la dernière fois n'est plus la dernière.

Si un couple a fait l'amour pour la dernière fois, c'est

souvent parce que l'un des deux l'a fait ailleurs pour la première fois.

Heureux les couples qui, d'un commun accord, ont décidé de se séparer et qui rassemblent ce qu'il leur reste d'amour, sinon de désir, pour tirer un ultime feu d'artifice !

Il y a aussi de très vieux couples, toujours aimants, mais fatigués, souffrants, qui ne peuvent pas donner une date pour la dernière fois parce que ce ne furent à la fin que de tendres, émouvantes et vaines tentatives de prolonger leur félicité charnelle.

L'idée m'a traversé l'esprit d'écrire un livre sur le thème de « la dernière fois », beaucoup moins visité que celui de la première. Mais il aurait été bien triste, les fins étant le plus souvent porteuses d'échecs, de limites d'âge, de coups du sort, de ras-le-bol, de maladies, de mort précoce. Il me semble que ç'eût été un livre à contre-emploi.

Certes, il existe aussi des dernières fois heureuses. Je me serais attaché à en glisser quelques-unes dans ce noir panorama de nos culs-de-sac. Par exemple, la dernière fois que j'ai cru au Père Noël, que j'ai remporté un tournoi de ping-pong scolaire, que mon père a revêtu sa tenue de prisonnier de guerre, qu'une étoile filante m'a porté chance, qu'une personne est morte de la tuberculose en France, que Romain Gary a obtenu le prix Goncourt…

Basta ! Peut-être n'aurais-je pas échappé à ce qui eût été à la fois la logique du livre et son principal argument de vente : mon décès, entraînant la mention que c'était la dernière fois que je publiais ?

J'ai quand même des regrets. Par exemple, de ne pas avoir raconté la dernière fois que la jeune Marguerite Donnadieu, plus tard Duras, et son amant chinois se sont vus et aimés. Elle n'a pas pleuré. Elle a attendu pour cela que le bateau se fût éloigné du port de Saigon. Sans cependant montrer ses larmes à sa mère et à son jeune frère. « Parce qu'il était chinois et qu'on ne devait pas pleurer ce genre d'amants… », *L'Amant*.

J'imagine qu'Yves Montand se rappelait très bien quand, où et comment Marilyn Monroe et lui avaient fait l'amour pour la dernière fois. Je doute qu'avec Simone Signoret il en eût un souvenir aussi précis.

Chateaubriand allait mourir. Il ne pouvait plus parler. À son chevet, Juliette Récamier. Elle était aux trois quarts aveugle. Ne pensaient-ils qu'à la douleur d'être à jamais séparés ? À l'espoir que Dieu les réunirait ? Ou bien, au milieu de leur commune détresse, se rappelaient-ils la dernière fois qu'ils s'étaient donné un plaisir infini à l'Abbaye-aux-Bois ?

Seul le FBI connaît la date de la nuit où John Kennedy et sa femme Jackie ont couché ensemble pour la dernière fois.

La dernière fois qu'Anton Tchekhov a bu du champagne, c'était juste avant de mourir, ses derniers mots étant pour constater que « cela faisait longtemps » qu'il n'avait pas eu ce plaisir.

C'est la dernière fois que la comtesse Livia, éblouie, regarde « ces bras, ces épaules, ce cou, tous ces membres que j'avais tant aimés ». Le lieutenant Remigio est nu jusqu'à la ceinture. Son thorax sera bientôt troué. C'est elle, trompée, jalouse, haineuse, revancharde, qui l'a dénoncé et envoyé devant un peloton d'exécution. La dernière image qu'elle a de son amant avant qu'il meure ? « … Quand, à Venise, dans la "sirène", plein d'ardeur et de joie, il m'avait serrée pour la première fois dans ses bras d'acier », *Senso* de Camillo Boito.

Pour le vieil Hugh Griffith qui va mourir, Sydne Rome, au pied du lit, relève haut sa robe pour qu'il emporte de cette terre une dernière et délicieuse image, dans *Quoi ?* de Roman Polanski.

« Sait-on jamais si c'est la dernière fois ? », François Nourissier, *À défaut de génie*.

Table

TABLE

DU MÊME AUTEUR

Aux Éditions Albin Michel

Les Dictées de Bernard Pivot, 2002 ; Le Livre de poche, 2004.

100 mots à sauver, 2004 ; Le Livre de poche, 2006.

100 expressions à sauver, 2008 ; Le Livre de poche, 2010.

Les Mots de ma vie, 2011 ; Le Livre de poche, 2013.

Les tweets sont des chats, 2013 ; Le Livre de poche, 2015.

Chez d'autres éditeurs

Le Métier de lire, d'Apostrophes à Bouillon de culture, réponses à Pierre Nora, Gallimard, coll. « Folio », 2001.

Dictionnaire amoureux du vin, Plon, 2006.

Oui, mais quelle est la question ?, Nil, 2012.

Au secours ! Les mots m'ont mangé, Allary, 2016.

Composition : IGS-CP
Éditions Albin Michel
22, rue Huyghens, 75014 Paris
www.albin-michel.fr

ISBN : 978-2-226-39789-8
N° d'édition : 22663/01
Dépôt légal : mars 2017
Imprimé au Canada chez Marquis imprimeur inc.